教 育 学 概 論

中 内 敏 夫 編

〔第 2 版〕

有 斐 閣 双 書　　　　　　　＊入門・基礎知識編＊

第2版のためのはしがき

　初版本を世に出してから，5年を経た。この5年ほどの間
に，国民生活の他の分野と同様に，教育の分野にも多くの事件
がおこった。いや，事件は，より多く教育の分野に，より重く
るしい相ぼうをおびて集中してきているようにすら思われる。
家庭内から校内へとひろがっていった，子どもと親，そして教
師の間の一連の陰惨な暴力事件はそのひとつである。そして，
これらの事件をめぐって，多くの教育意見が発表されてきた。
政府や政党の新しい教育関係立法の動きもでてきた。

　教育の様相は，5年ほどの間にも，このように，たえず姿を
かえてきた。しかし，その基層部分の構造は意外なほど変って
いない。その基層の構造が，状況の変化に応じて表層部分に異
なった事件の波をひきおこしているにすぎない。この基層の構
造をしっかりとおさえて，問題の処理にとりくまなければなら
ない。

　現代教育の基層部分の構造のおおよそは，本書の「はじめに
——現代教育研究の課題」にのべてあることにつきる。この部
分は初版本のままである。本書の初版本は，当時の段階で，こ
こに素描した基層構造についての編者の基本認識をふまえて編
集されたものであった。

　その基本認識に修正の必要がない以上，本書の改訂版をあら
たに考える必要も，またなかった。じっさい，この第2版も，
概論書としての章の構成は，初版本のときのままである。概論

書のそなえるべき要件についての編者の考え方も，初版本「あ
とがき」にのべたものと，かわっているわけではない。すなわ
ち，教育学概論は，精神科学のひとつとして体系化されえてい
た旧教育学を解体させ，多様に分化しながらあらわれてきた教
育の諸科学をよせあつめて，そのおおよそを解説するといった
たぐいのものではない。

　ところで，本書の各章についてのそのごの研究状況というこ
とになると，当然のことながら，そこには，若干のみるべき進
展があった。その研究の蓄積は次第にふえ，また，以前にはな
かった部門の開拓などもあって，5年たってみると，編者とし
て，とてもこのまま放置できないところまできてしまった。そ
こで，この部分を補筆すべく，本書第2版のかたちで，改訂を
試みることになったのである。

　加筆をおこなった主な部分は，Ⅲの2「教授の理論」の部分
である。

　1982年3月

編　　者

目　次

▶執筆者紹介◀

中内敏夫（なかうち　としお）　　　お茶の水女子大学教授〔はじめに，Ⅰ-①-4，Ⅰ-②-1，Ⅰ-②-3，Ⅲ-2〕

吉田章宏（よしだ　あきひろ）　　　東京大学助教授〔Ⅰ-①-1〕

上野浩道（うえの　こうどう）　　　お茶の水女子大学助教授〔Ⅰ-①-2，〔Ⅲ-4〕

三上昭彦（みかみ　あきひこ）　　　明治大学助教授〔Ⅰ-①-3，Ⅵ-3〕

竹内常一（たけうち　つねかず）　　国学院大学教授〔Ⅰ-②-2，Ⅲ-6〕

藤岡貞彦（ふじおか　さだひこ）　　一橋大学教授〔Ⅱ-1，Ⅱ-2，Ⅱ-3〕

三輪定宣（みわ　さだのぶ）　　　　高知大学教授〔Ⅱ-4〕

佐藤興文（さとう　おきふみ）　　　国学院大学教授〔Ⅲ-1，Ⅲ-5〕

西林克彦（にしばやし　かつひこ）　宮城教育大学助教授〔Ⅲ-2〕

正木健雄（まさき　たけお）　　　　日本体育大学教授〔Ⅲ-3〕

宍戸健夫（ししど　たけお）　　　　愛知県立大学教授〔Ⅳ〕

島田修一（しまだ　しゅういち）　　中央大学教授〔Ⅴ〕

山田　昇（やまだ　のぼる）　　　　和歌山大学教授〔Ⅵ-1，-Ⅵ2〕

平野正久（ひらの　まさひさ）　　　大阪大学助教授〔Ⅶ〕

はじめに——現代教育研究の課題

　かつてわが国で社会問題といえば，なによりも経済問題，とりわけ農村問題であった。しかしいまその地位は，教育問題によって代られはじめている。富の生産と分配の問題が人の生死にかかわる問題であることは今日も変りはない。だが，富といい財産といっても，物質的なそれがあるだけではない。今日私たちは，資源の枯渇の名の下に同時に精神的なそれをも考えざるを得ない時代に生きている。ここで大事なことは，私たちの社会では，人間の人格や能力が社会的な生産と分配の対象になるということは，それが利潤追求の世界にひきこまれていくことを意味するということである。

　同じ親から生まれた子どもが，なぜ人格も能力も違った子どもに育つのか——教育研究は一見なんでもないようにみえるこの種の問題との取りくみからはじまった。現代教育学の用語でいえば発達の問題である。子育てと教育の問題は，かつての時代において，個々人の好みの問題つまり私事であったか，それとも共同体つまり社会全体の関心事であったか。この問題は，学説のわかれるところである。しかし，間違いないことは，現代においては，どう子どもを育てるかの問題は，個人の好みの問題ではすまされない。そして個人の努力や善意では回避できない社会問題の観を呈しているということである。このような状況の深まりのな

かで，従来にはなかった新しい性質の教育論が書かれなければならない時がきているように思われる。

　教育問題が社会問題化しているということは，教育のあり方が一枚加わった新しいかたちの貧乏が現代人の生活をおびやかしているということである。お金がなければいい教育をうけることができない。ところがいい教育をする学校を出なければ貧乏をぬけ出すことができない。そこで人々は生活をきりつめ，縮小していい教育をうけようとする。ところがこの「教育」というのはごく特異の教育であって，端的にいえばいい品物に子どもを仕立てるということだ。こうして教育をうければ受けるほど親も子も人間的本質から遠ざかるという，教育の名のもとでの人間の自己疎外——精神の貧困——が発生する。私たちの日常生活はこの種の教育哀話や悲喜劇で満ちている。この悪循環から人間はどのようにしたら抜け出すことができるか。〈教育〉新貧乏物語ともいうべき新しい教育論は，恐らくこういう問題をあつかうものになるだろう。

　私たちは，いまここで，〈教育〉新貧乏物語を書くつもりはない。概説書の類は，教育学のばあいでも，時評の類の教育論とのあいだに，一歩にして九十九歩の距離をもたざるをえない性質のものである。その距離を自覚したところから，教育学固有の地平がひらけてくる。しかし，このことは，ひとつの学問の概説書が時代の国民的関心事と無関係でありうるということではない。本論でも述べることだが，このことは，教育学のような学問においてはとりわけ確かなことである。

　教育学の概説書で最低限要求されることは，時評的な教育論類が必ずしも自覚していない教育の概念がはっきりさせられていることだろう。このばあい大切なことは，過剰のなかの貧困ともいうべき現代の教育問題をもっともよく見通せるようその構成ができているということである。

　かつて教育とは，"人格の完成"であるとか，"自然の理性化"のしごとであると定義された。大正デモクラシーのなかでつくられたこの教育

の概念はなかなかカンどころをおさえていて，その後数々のバリエーションをつくりだし，今日でも支持者が多い。教育の定義は親や教師の側からできるとともに，子どもの側からのものもあっていい。教育は"自然の理性化"だという定義は，子どもの側から教育の世界をとらえようとしたもののようにみえる。そういうかたちで，ここには，大正「自由主義」のひとつの遺産がきざみこまれている。

　だが微妙なのは，この定義は，広義の学習生活，つまり人間の精神活動一般をとらえようとした，むしろ哲学の概念だという点である。そこからは，論理学や認識論はでてくるが，教育論は，無媒介にはでてこない。これで破綻がおこらなかったのは，その哲学が理想主義哲学だったからだが，しかしそのため，日本の親や教師たちは，自分たちのおこなっていることがらを意識のうす暗がりからひき出し，理論化してみるというしごとに関してあいまいな部分を残してきたことも事実である。親や教師がおこなっていることといえば，むしろ，理性的なもの，価値あるものをとらえて，これを子どもの人格の成長の過程に生かし，明日を生きるかれらの個性と化するしごとであるといった方がぴったりくる。それが，人格の歴史に発達の世界を拓くと教育学でよんでいるしごとの本質である。

　人間がながい間にわたっておこなってきたこのしごとの現代における特別の意味と方法を，各領域，各次元にわたって理論化することが，教育学に課せられた課題である。本書では，このような観点にたって，まず教育の基礎概念の検討をおこない，ついで，その計画論，各論，教師論，最後に，教育学の歴史と課題を講じた。

Ⅰ 教　　育

①　発達と教育

1　発　達　の　世　界

「こころの旅」
としての発達　人はその一生を胎児期から誕生によって開始し，乳幼児，幼年，少年，青年，壮年，老年と発達し，死をもって閉じる。この発達（development）は多様な視点からとらえることができる。ここでは，人間の発達を「こころの旅」としてとらえ，それが，教育という営みとのかかわりにおいて，いかにとらえられるか，また，いかにとらえられてきたか，その一端をかいま見ることにしよう。

発達を体験する　人はだれでも，生きている限り，ひとりの人間として，自分自身の発達過程を体験しつつある。これはいわば「発達の原体験」である。人の発達の過程は，この自分自身の「発達の原体験」についての自覚化としての性格も持っている。人は，発達を無自覚に体験するだけのところから，次第に，発達を自覚し，意識するに至り，さらに発達という事実を対象として認識し，ついには，それについての理論化を試みるまでに至る。

　われわれが，本書で，「発達」について，また，「教育」について，考えたり論じたりすることも，そのような発達の自覚化の過程の一環であ

るといってよい。

　発達の原体験は，それぞれの人間の年齢，生活経験，などによってその内容をいちじるしく異にする。たとえば，幼な子は「大きくなること」に全身で喜びを感じる。少年は「おとなになること」に期待と不安を覚える。そして老人はこれまでの発達のあとを回顧する。

　しかも，発達の原体験だけでは，発達を自覚化し，自己の生き方の中に活かすに十分なだけの発達についての認識内容は与えられない。また，活かすに足る内容を得たときには，活かす場が残されていないこともある。少年は，その後にくる発達をまだ体験していない。老人は少年期をもはや再び体験することはできない。人の発達におけるひとつの矛盾である。そこで，発達の事実についての認識，および，その理論的認識を必要とする仕方も，またそれらの認識を活かす仕方も，それぞれ具体的な人間により異なってくる。

発達を意識し認識する　発達を自覚し，意識し，認識する必要が生ずる場合として，概念的には，つぎの3つの場合を区別できる。

　(A)　自己の発達について，自ら発達する人間として，過去・現在・将来についての自覚をせまられる場合。たとえば，自分の将来について思いをめぐらしている少年は，自己の発達について意識化しつつあるのだともいえる。

　(B)　他己の発達について，他己の発達を助ける人間として，自覚と認識をせまられる場合。たとえば，弟や妹を世話する兄姉として，あるいは，子を育てる親として，あるいは，子どもに教える教師として，他己にかかわるとき，他己にいかに働きかけるかを決定する上で，発達についての認識の必要にせまられる。さらに，より広い文脈で，教育の計画や政策を立てるにも，発達観が要請される。

　(C)　人間の発達について，発達を認識する人間として，認識をせまら

れる場合。たとえば，教育研究者は，発達についての認識を深めること
をその専門的仕事のうちに含む。また，多くの人は，たとえ必要にせま
られなくても，人間の発達には知的興味を抱く。

(A) (B) (C) の場合は，現実には，いつも孤立して起こるわけではない。
互いに重なり合い，影響し合って起こる。他己についての認識を通じて
自己の認識が深まり，自己の認識が深まることを通じて他己の認識も深
まるということがあるからである。「人間は最初はまず他の人間のなか
に自分を映してみるのである」（マルクス）。これと同じ考え方にもとづ
いて，子どもに一生というもの，生命のサイクル，を理解させる教育的
働きかけとして，たとえば，はつかねずみのような小動物を子どもに育
てさせ，その誕生，成長と死を観察させることは効果がある，と指摘す
る教育実践例もある[1]。

教育とのかかわりにおいて考えれば，「他己によって教育される」営
みから，「他己を教育する」営み，さらに「自己を教育する」営み，そ
して「教育を研究する」営み，これらそれぞれの意識化と認識の深化に
伴って，発達観の深化と客観化は生じてくるのだとも考えられる。

われわれは「人間」を認識するのに，3つの認識方法をもっている。
すなわち，自己の体験に照合しながら形成する「主観的認識」，客観的
公共的に観察可能な他己の「行動」のみを認識対象として「自然科学」
的に形成する「客観的認識」，それと，他己を共感的に理解することを
通じて，「精神科学」的に形成する「現象学的認識」の3つである[2]。「人
間」の発達を認識しようとするわれわれは，当然，ひとつの方法に固執
することなく，これらの方法を統合的に用いていくことを考えなければ
ならないであろう。

教育は発達を促進する　　発達と教育の関係については，3つの典型的な
考え方があるとされる[3]。

(a) 発達は教育と独立したものである。子どもの発達は自然的法則に

　　従って進行する。それゆえ，教育はその進行に追従しなければなら
　　ない。

(b)　発達は教育である。両者は本質的には同一の過程である。子ども
　　は教育されるだけ発達する。

(c)　発達は教育により促進される。発達と教育は相対的には独立しあ
　　うものであるが，発達の可能性は教育によって拡大され，発達は教
　　育によって促進される。

　「人は棄てておいても自ら育つ」と芦田恵之助はかつて書いた。そこ
から教育について考え，教師の典型として，「説いて知らせようとする師」，
「師が感じた経路を語って，独り楽しむが如くに振舞う師」，「響を生ず
べき急所をうって，響を児童から聞かうとする師」の3人の師をあげて
いる。一人目については，「説けば分るという考は，児童の伸びる力を
無視した傾があります」とし，二人目については，この他に道の見出せ
ない時には真実味があり効果が多い，とする。そして三人目については
これが「最上乗」のものであるとして，つぎのように述べている。

　「響を生ずべき重要点に力を加へて，それから生ずる心の流れに，響を
生ぜしめようといふのです。さうして，その響を児童から聞いて満足し
ようといふのです。児童からいへば，導かれたのは師であるが発見した
のは自分です。そこに学習の喜を感じ，求むる心を生じ，学習の方法を
悟るのです4)。」

　教育の役割は，棄てておいたのでは生じるはずのない発達の可能性を
開き，さらに発達を促すところにある。もし教育が棄てておいたのと同
じ発達しか生まないなら，それは無駄であろう。また，すべてが教育に
よって生ずるなら，「棄てておいても自ら育つ」ということは全くあり
えないはずであろう。

　発達は，学習を媒介として，教育によって促進される。しかし，発達
は学習経験の総和にすぎないとする考え——単純な原子論——を採るこ

とはできない。

発達を量的増大とみる　発達は，一見，量的な増大がその本質であるように も思われる。

　たとえば，子どもの身長は，年齢が増すに従って伸びていく。しかし，身長は無限に伸びるわけではない。その伸びは次第に遅くなる。そして，ある限度以上は伸びなくなる。では身体の発達はそこで止まるのであろうか。そもそも，発達とは大きくなることなのだろうか。身長が伸びる間，身体の変化は単に大きさが比例的に大きくなるだけではない。身体の構造は複雑化し，次第に高度な機能を果たすように変化していきもする。

　知能の働きを測るとされる「知能テスト」の得点も，年齢が増すにつれて，普通は，上昇する。点数は量的に増大し，グラフに描けば上向きの曲線となる。知的発達とは量的増大なのだろうか。だが，その曲線は20歳位で上限に達し，あとは下降しはじめることが知られている。では，人の知的発達は20歳台で止まるのであろうか。知能の構造化はその後も進行し，知能はさらに発達しつづけるのである。

　人の知識も，年齢とともに増加する。しかし，これも単に加算的な量的増大ではなくて，たとえば，知識の記憶は次第に構造化されていくことが知られている。

　発達は学習の総和と同一ではない。学習は発達と一定の関係をもって現われてくる。発達は単なる量的増大ではないのである。

発達を多様な文脈でとらえる　だが，発達が単なる量的増大でないということを，われわれはどのようにして認識することができるのであろうか。心理の発達について，このことを考えてみよう。

　人間の発達について認識を深めようというのなら，個人の発達そのものを詳しく研究することがまず考えられよう。たとえば，生まれた子ど

もを毎日詳しく観察し，記録することもひとつである。子どもにさまざ
まな課題を与えて，発達するにつれてその解決の仕方がどう変わるかを
観察・記録して比較するのもまたひとつであろう。

　しかし，子どもの外にあらわれた行動をただ観察しているだけでは，
その行動が，発達においてどのような意味をもっているかを，すぐ理解
することはできないものなのである。

　たとえば，つぎのようなことがある。

　「5〜7か月ごろには，子どもは，ある物をつかもうとしかけても，その
物をリンネルでおおい隠してしまったり，遮蔽物の裏へ隠してしまった
りされると，いったん伸ばしかけた手をたんに引っこめるか，またはそ
れがとくにほしい物なら（哺乳器 など）あてがはずれて泣き，わめきだす。
つまり彼は，まるでその物が雲散霧消してしまったかのようにふるまう
のだ[5]。」

　子どものこの行動は一体どんな意味をもっているのだろうか。これだ
けを見ると，子どもは隠されたものがあることは知っていて，ただリン
ネルをどかすことができないだけなのだとも考えられる。しかし，問題
はそれだけではないのである。子どもが遮蔽物の下を捜すことができる
までに発達してきたとき，子どもにつぎのようなことをやってみる。「つ
まり，物を子どもの右側Aに隠し，子どもはそれを捜してみつけだした
として，つぎに，彼が見ているまえで物を子どもの左側Bに移して隠す
のだ。すると，彼は，物がB（クッションの下）に隠されるのを見たのに，
しばしばやはりAで捜しまわることが起こる。それはまるで，物のある
場所はまえにうまくいった活動に依存しているのであって，自分の活動
とは無関係で独立な物自身の移動には依存していないとでもいうような
のである[5]。」

　こうして，子どもは，発達するにつれて，「物の保存性」の概念，つ
まり，物が永続して存在しつづけるということの理解を，構成しつつ獲

得していかなければならないということがわかるのである。たったひとつの子どもの行動でも，その意味は，子どもの発達全体の文脈の中に位置づけないことには，深く読みとり理解することはできない。

　発達のさまざまな理論は，発達をそれぞれに異なった，しかしそれでいてそれぞれに一貫した一定の文脈の中に位置づけてとらえてみせてくれる。たとえば，同じ生後一年までの「乳児期」をとりあげても，理論によりそれぞれに異なったつぎのような特徴づけが与えられている。

　フロイト　　口唇期「摂食，授乳に関連して口唇が快楽の主要な焦点となる。」

　エリクソン　　基本的信頼の時期「あたたかさ，快適さ，食物への欲求が母によって満足されると，欲求不満への耐容度が増して行く。」

　ピアジェ　　感覚・運動性の初期「知覚野に存在しない事物をも心像として保存できるようになる。前言語的な実践的知能が発達する。口は認識のための器官でもある。」

　以上の特徴づけにおいては，フロイト (Freud, S.) とエリクソン (Erikson, E. H.) が情緒面の発達に，ピアジェ (Piaget, J.) が認知面の発達に，主に注目している，といえる。乳児のおしゃぶり行動は，フロイトから見れば快楽，ピアジェから見れば認識，と意味づけられる。

　では，人間の発達の事実の意味は，その事実を子どもからおとなへの発達の文脈の中におきさえすれば明らかになるのであろうか。

　たとえば，発達心理学で「子どもはおとなに比べてより具体的な心性をもつ」といわれている。しかし，「具体から抽象」へという側面での，子どもからおとなへの発達 (a) を本当によく理解するには，これに加えて，たとえばつぎの4つの文脈 (b)〜(e) での「具体から抽象」を研究する必要があるのだ[6]。

　(a)　子どもからおとなへの個体の発達。

　(b)　動物から人間への種の進化 (たとえば，ローレンツの研究)。

(c)　古代語から現代語への言語の発展の歴史（レヴィ・ブリュールの研究）。

(d)　正常から脳損傷による失語症への言語退行（ゴールトシュタイン，ヤコブソンの研究）。

(e)　正常から精神分裂病への退行（ヴィゴツキー，ゴールトシュタインらの研究）。

さらに，知恵おくれの子どもの研究もこれに加えてもよいかもしれない。

(a) を理解するのに，(b) (c) (d) (e) についての研究は，(a) の限られた事実だけを対象としていたのでは気づきにくいような微妙で細かい点を拡大したり，速すぎる変化をゆっくりさせたりして見せてくれる。あるいは，発達の長期にわたる見通しを与えてくれたりするのである。それとともに，(a)における理解が他における理解を助けることもいうまでもない。

発達を質的な変化と見る　発達が加算的な量的増大でなく，構造的変化を伴う質的変化であるとすれば「子どもは小さなおとなではない」ことになる。発達の経過における質的変化の節ごとに「発達段階」を考える必要もでてくる。

発達とは，未分化なまとまりをなしている状態から，分化・分節化され，階層的に統合された状態へと進む，創造的な過程である。それは，それぞれの個人の個性が明確化されていく「個性化」の過程であるとともに，それぞれがまた，人間社会に適応していく「社会化」(socialization)の過程でもある。

発達をたとえば上のように質的変化の過程としてとらえる発達理論家は多い。そして，発達における「階層的な統合」という重要な考え方は，エリクソン，ピアジェ，ジャネー (Janet, P.) などに見られる。

そうした理論家のひとり，ウェルナー (Werner, H.) は，発達をつぎ

のようにとらえる7)。

　発達は，主体と客体の分化が比較的欠けている状態から，主体と客体
の分極化がみられる状態へと進む。したがって，幼児が夢はどこか身体
の外部にあると考えたり，精神病者が夢で見ることと現実に見ることと
を区別できないのは，反省的思考に見られる主体と客体の分極化に比べ
れば，発達的には相対的に未発達な状態である。主体と客体の分化が進
行すると，直接的具体的状況には支配されにくくなる。より自由になる，
目標をよく理解し，代りの手段，他の目的を採用することもできるよう
になる。待つことや計画的行為もとれるようになる。環境に受身的に反
応するのではなくて，環境を操作できるようになる。行動が柔軟になる，
他人を正確にとらえることができるようになる。他人の動機と行為その
ものを区別できるようになる。他人の欲求や集団の目標も益々わかるよ
うになる。思考も具体的な知覚の文脈に支配されていたのが，次第に抽
象的思考ができ，また，まわり道もできるようになる。

　それぞれの発達理論家は，それぞれ発達の道すじについての理論を提
出している。日本では，フロイト，エリクソン，ピアジェ，ウェルナー
のほか，ヴィゴツキー (Выготский, Л. С.)，レオンチエフ (Леонтьев,
А. Н.)，ジャネー，ワロン (Wallon, H.) などが広く知られている。

発達は進歩か退歩か　発達は進歩か退歩かと問えば，だれもが，それは
進歩 (progress) だと答えるかも知れない。では，
進歩だということは，それがより望ましい変化だということだろうか。
つまり，発達することは「よい」ことであろうか。この問いでは，価値
的な判断が問われていることになる。

　教育は，より望ましい発達を目ざす。現実の発達が，そのような望ま
しい発達なのであるかどうかは，おおいに検討の余地があるといわなけ
ればならない。

　子どもがおとなになることは進歩といえるか。子どもはおとなより

「直観像」においてすぐれていることが知られている[8]。子どもはおとなよりも大きな可能性を秘めている[9]。

　普通の子どもは，知恵おくれの子どもよりも進歩しているといえるか。知恵おくれの子どもの「こころ」は嘘もつけず人をだますことも知らない純真さをそなえている。一般の子どもの多くは「英知」ではなくて「狡知」（ずるがしこさ）を発達させつつあるかも知れないのだ[10]。

　正常人は精神病者よりも進歩しているか。たとえば，分裂病者は，あまりにも人間らしい繊細な心の持主であるがために病んでいるのかもしれないのだ[11]。

　文明人の「こころ」は，未開人の「こころ」よりもより進歩しているといえるか。未開人のこころは，はたして「未開人の思考」なのか「野生の思考」なのか。種類のちがいであって，未発達なのではないかも知れないのだ。

　われわれは，発達を教育との関連において考えるとき，ただ単に，現在ある発達を「発達である」というだけで「よし」とするのではなく，より望ましい発達とは何かを求め，考えつづけなければならない。「能力の全面発達」[12]とか，「人間らしい発達」とは具体的には何かが問われることになる。

　人間の発達を対象として客観的に「研究」するだけに留まらず，より積極的に，より望ましい発達を促すための教育を営む仕事の中で，研究しつつ，人間らしい発達についての認識を更に深めていくことが求められるのである。

　節末に読者が発達について更に読みすすめるのに手頃でしかも優れた文献と思われるものを挙げておこう。

1)　Isaacs, S., *Intellectual Growth in Young Children*, Schocken, 1966.
p. 170.

2)　ロジャース，C. R.『人間論』（村山正治編訳）岩崎学術出版社，1967 年，

429～463 ページ。

3) ヴィゴツキー，L. S.『思考と言語』（柴田義松訳）明治図書，1962 年，下，58～72 ページ。

4) 芦田恵之助『教式と教壇・綴り方教授』明治図書，1973 年，96～97 ページ。

5) 参考文献中，ピアジェ，イネルデ，19～20 ページ。

6) Brown, R., *Words and Things*, Free Press, 1958, pp. 264-298.

7) Werner, H., " The Concept of Development from a Comparative and Organismic Point of View," in D. B. Harris (ed.), *The Concept of Development*, Univ. of Minnesota Press, 1957, pp. 125-146.

8) 大脇義一『直観像の心理』培風館，1970 年。

9) 斎藤喜博『教育学のすすめ』筑摩書房，1969 年。

10) 伊藤隆二『育つということ』柏樹社，1974 年，123 ページ。

11) 荻野恒一『精神病理学入門』誠信書房，1964 年，260 ページ。

12) 勝田守一『能力と発達と学習』国土社，1964 年。

◉参考文献◉

◇エリクソン，E. H.『自我同一性』（小此木啓吾訳編）誠信書房，1973 年

◇波多野完治編『精神発達の心理学』大月書店，1956 年（ワロン心理学の入門書）

◇ジャネー，P.『人格の心理的発達』（関計夫訳）慶応通信，1955 年

◇神谷美恵子『こころの旅』日本評論社，1974 年

◇レオンチエフ，A. N.『子どもの精神発達』（松野豊・西牟田久雄訳）明治図書，1967 年

◇ピアジェ，J.，イネルデ，P.『新しい児童心理学』（波多野完治・須賀哲夫・周郷博訳）クセジュ文庫，1969 年

◇ヴィゴツキー，L. S.『精神発達の理論』（柴田義松訳）明治図書，1970 年

2　発達観の歴史

社会と発達　発達に対する見方，すなわち発達観の違いは社会の進展とともに異なっている。今日でも，「ほっておいても子は育つ」という考え方に対して「ほっておいては子は育たない」という考えがある。そこには発達観の変化がみられる。前者は外からのはたらきかけがなくとも時間がたてば自然に個体のなかにいろいろな能力や徳性が備わってくるという「成熟」(maturation) の考え方である。ところがこれでは説明できない事実がたくさん報告されることによって，後者の考えが近年注目されてきた。それは，今まで「成熟」の結果だと思われていたものが，実は子どもが偶然にいろいろな刺激やはたらきかけをうけ，「学習」(learning) することによって発達してきたものであるという考えである。ここには昔から「素質」(heredity) 対「環境」(environment)，「成育」(nature) 対「養育」(nurture) というかたちで論じられてきた問題が背景にある。

この発達観の違いは，児童観や教育観の違いにつながっている。ひとつの例として能力の発達やそれを条件づける教育方法の問題として，デューイ (Dewey, J.) らのプログレシビズム (progressivism) とそれに対するエッセンシャリズム (essentialism) のちがいがあげられる。前者は将来の社会を発達 (develop) させるのは子どもであるから子どもの自主

性や創造性に期待し，訓練による将来のための教育を排し，自発的学習を尊重しようとした。一方，後者は，子どもは発達する存在ではなく発達させられる存在だから将来の社会に適応（adapt）でき社会生活を営むことができるようになるためには，そのために必要な最低の知識を大人の指導のもとで系統的に身につけていくことが必要だという考えである。ここには，発達観の違いは，社会の伝統や文化遺産に対しても違った関係をみちびく性質のものであることがあらわれている。

現代の教育学は，子どもの発達は単なる変化ではなく価値志向的なものであり，学習は単に大人や仲間のまねでなく未来に向かった新しい価値実現のための新たな質の学習とみている。そして，社会は人間を教育することによって人間を発達させ，同時に人間は社会を改造して新しい社会を発達させる。それ故に教育学は「社会の発達を人間に集約して研究する科学」[1)] とも定義されるのである。発達観は社会によって規定されると同時に，社会の方も発達観によって規定されることになる。ここでは，発達観の違いや発達思想の系譜を歴史的に概観してみよう。

心身二元論　原始人がどのような発達観をもっていたかを知るのはなかなか難しい。今日，それは未開民族や幼児の研究，原始的心性の研究などによって推察される。そこでは，人間は「霊魂」（soul）によって生きたり，動いたり，考えたりすると考えられ，心身二元論的（dualistic）な考えがみられる。そして，この霊魂が他人や動物に結びつくという輪廻（transmigration）や再生（rebirth）の思想になっていった。また，人間や生物以外の自然界にも精霊が宿るというアニミズム（animism）の考え方も特徴的であった。

日本人のあいだに昔からあった発達観もこれに近い再生譚とよばれるものであった。『今昔物語』や仏教の 説話集などの話に 出てくる生死観は民衆の発達観や教育観をあらわしている。また「七歳マデハ神ノウチ」と民俗の次元に伝承されてきた児童観にあらわれているように，そこ

では神霊界から生まれた人間は人間界との間に不安定に存在する単なる物体であった。この物体に死後33年たった祖霊を入れ精神を安定させる「魂入れ」（たまいれ）が教育であった。「こやらい」と言われるように子どもは神霊界から追い出されるものであるが，子どもの発達は自然的なものではない故に一人だちをするものではなく，常に神霊界にひきずりこまれる弱い存在であった。そのために，常に大人は子どものひとりだちを願ってさまざまな努力と激励を行なった。すなわち，人間界に「迎え入れる」さまざまな配慮をこめた儀式が各発達段階（developmental stage）の折れ目や節目に行なわれた。それは親たちの構成する公共的な集団の一員としての子どもの生存と発達を祝い，人間の備えるべき特性を確めるものであった。そして，何代か前の死人の精神を新しい身体に入れかえ，「一人前」になるのが成人式（initiation）であった。この「再生」や「転生」をともなうイニシエーションは未開社会に多くみられるものである。そこでは，子どもは神によって作られた世界（日本の場合には氏神の世界）に入れてもらえるかどうかが大問題であった。社会の近代化過程はイニシエーションを否定していったが，そのもつ教育的意味は消失してしまったわけではない。

前成説　どのような古代民族や未開人も宇宙の生成や人間の創造を神話として伝えている。『創世記』に「神は土の塵で人を造り」と書かれているように神による創造の話は多い。また，植物や卵のようなものから自然に発生したり，動物と結びついた物語りも未開人にはみられる。これらは人間の想像力によって人間の発生から世界の成り立ちまで記したものであるが，それは，また，彼らが現実に生きていくための力と方向性を与えるものでもあった。

古代ギリシア以前までは，子どもの成長や発達に関して植物や動物が外から手を加えなくても自然に成長していくというトロフェー（trophé＝τροφή: 養育）という考えがつよかった。これに対し，プラトン（Platōn）

は一連の対話篇でパイデイア (Paideia＝παιδείᾱ：教養または教育) という
概念を提示した。すなわち，たんに「養う」だけでなく，積極的に意識
的に子どもを「導く」ということが意識されてきたのである。ここでは，
「善」や「徳」という理想的な人間や社会の問題を考えざるをえない状
態になっていた。

ところでギリシアの哲学者たちの多くが問題にしたことは，万物のも
とである根源を求め，宇宙を形造っている原理や本体は何であるかを考
えることであった。そして生命の起源や成長の規定要因もすでに考えら
れていた。「あらゆるもののうちに，あらゆるものの部分がある」とい
うデモクリトス (Dēmocritos) の考えは前成説 (preformationism) のはじ
まりとしてよく知られている。これは人間や生物の器官や特性，能力は
誕生前にすでに形成されているとみて，人間の個体発生における発達を
否定する考えである。この説は中世の神学をへて，カント (Kant, I.) の
先験的思惟や，誕生時の精神的外傷がその後の人格の形成に及ぶという
精神分析学の思想にまで，長く影響を与えている。

**ルネサンスと
子どもの発見**
ヨーロッパの中世を支配したキリスト教思想では，原
罪を背負い堕落の道を歩む人間は，神の導きによる信
仰と禁欲によってのみ救われると考えられた。この考
えと前成説が結びつくことによって原罪を負って生まれてくる子どもに
対しては悪から切りはなすための厳しい訓練としつけが必要とされ，そ
れが教育とされた。すべてが運命的に定められているとされた子どもの
教育は，教会と大人が設けた厳しい基準を押しつけることであった。こ
のカトリックの伝統的な教育の考えからは当然，大人と区別された子ど
も独自の固有の価値を発見する契機はでてこなかった。子どもは小さい
大人であり，児童期は，人の一生をかたちづくるひとつの大切な段階と
はみなされなかった。

真理が神の秩序の下で教会によって握られていたのに対し，人間性の

解放，とくに人間と自然の発見を叫んだのがルネサンス (Renaissance) であった。ラブレー (Rabelais, F.) やモンテーニュ (Montaigne, M. E.) らのユマニストたちの著作はルソー (Rousseau, J.-J.) につながる教育の思想を準備していた。たとえば，『ガルガンチュワとパンタグリュエル物語』(1532〜64 年) には修道院のスコラ主義教育に対する批判と，それに対して「汝の欲するところを為せ」(Fay ce que vouldras) という「自然の善性」を信じた人間の本能と衝動を肯定する思想があった。この人間的自然 (human nature) の発見とその思想はルソーの『エミール』などにおいて展開され，誕生から結婚までの発達段階と教育の過程が綿密に示された。ルソーは，宗教改革の批判をうけて内部改良したジェズイットなどの教育支配や教会のイデオロギーを批判し，悪としてみなされていた人間（子ども）の自然性をよきものと捉えた。それは子どもは子どもであるという「子どもの発見」であり「世代の権利」の宣言であった。そこで考えられた発達観は，発達を支配するものは内的要因によって決定はされるが，その成熟過程にあった環境の役割と育児法が大事であると示された。これは，発達の段階は誕生時の固定した構造と機能の展開過程であるとみるのではなく，生体の質的な分化の過程とみる考えであった。前成説と区別して前定説 (predeterminism) と呼ばれる立場である。

　この立場では，環境，つまり教育の役割は自然の成熟に妨害を与えないところに限られ，発達に即した自然による教育 という 消極的教育 (l'éducation négative) が主張された。その思想はペスタロッチ (Pestalozzi, J. H.) やフレーベル (Fröbel, F. W. A.), モンテッソリー (Montessori, M.), ディースターヴェーク (Diesterweg, F. A. W.) らにうけつがれている。また，20 世紀に入ってデューイやピアジェ (Piaget, J.) らの国際的な新教育 (new education) の運動に発展する。

経験論と弁証法　デモクリトスにはじまる前成説とルソーに代表され
る前定説はともに発達の方向づけを生得的な素質や
内的要因に求めている点では共通している。しかし，この素質を成体と
なる器官のもととみるか，可能性とみるかによって，上述の2つの立場
に区別さる。これらの生得説に対して，発達の規定要因を遺伝的素質や
内的要因に求めることを抑え，環境や個人の経験，学習を重視する経験
説がある。とくにロック（Locke, J.）の『人間悟性論』やコンディヤ
ック（Condillac, E. B.）の『人間認識起源論』，『感覚論』などにみられる
経験論はこの発達観や発達思想に影響するところが大きかった。

　ロックはスコラ学派の立場やデカルト学派の生得的観念の立場を否定
し，知識や認識の起源を感覚的経験に求めた。人間は本来白紙（tabula
rasa）で，あらゆる観念はすべて経験にもとづき，その経験は感覚によ
って構成されると考えた。そこには，人間の可塑性を認め，教育の大き
な可能性を確信していた。これは近代の認識論の基礎をなしたもので，
教育を社会環境の作用ととらえるエルヴェシウス（Helvétius, C. A.）の
思想や経験論的立場に立つ教育におけるヒューマニズム運動に結びつい
ていった。また，アメリカのワトソン（Watson, J. B.）の行動主義（Behav-
iorism）やスキナー（Skinner, B. F.）のプログラム学習の見解もこの環境
論の系譜にある。

　経験論とともに発達観や発達思想の形成過程に大きな影響を与えたも
のとしてヘーゲル（Hegel, G. W. F.）の弁証法的な思考方法がある。彼
は前成説的考えをもっていたと言われるが，普遍的弁証法の見地から現
実の世界のすべてが「正・反・合」といわれる弁証法的な運動と「発
展」の過程であるとして，その内的な連関構造を明らかにしようとした。
そして，人間の働きでは変えることができない歴史の法則を認識して，
『精神現象学』（1807年）において歴史を支配する絶対精神（absoluter
Geist）の自己展開の過程を示した。彼はこの自己展開の過程を通して人

間個人の精神の発達と人類の歴史における「発展」とを統一的にとらえ
ようとした。その弁証法的な発達の史観はコンドルセ（Condorcet J. A.）
の人類の無限の進歩を確信した『人間精神進歩史』（1794年）の考えとは
立場を異にするものであるが，発達を考える場合に弁証法的な思考方法
と歴史的な観点との重要性を示した点で重要である。この弁証法的な発
達，発展の観点と進歩史観の両方を含ませようとしたのがマルクス主義
の歴史観であり，そして人間の諸能力の全面発達（allseitige Entwick-
lung）をめざす考えも出された。

ところで，19世紀末から人間の発達を科学的に研究
近代の能力研 したり，具体的な臨床や日常的な教育実践によって明
究とその思想 らかにしようとする動きがあらわれた。すべての生物
は最初から別々に作られたという特殊創造説を信じた神学的世界観に対
し，ダーウィン（Darwin, C. R.）の『種の起原』（1859年）は人間の起源と
その進化の過程を自然陶汰（natural selection）によって説明し，生物学
界のみならず一般社会やその後の人間研究に大きな反響をもたらした。
彼は適者生存という自然淘汰が進化の要因として生物種の変化，新生と
適応の起源を示した。この進化の思想をあらゆる領域に一般化してイギ
リスの経験論を集大成したのがスペンサー（Spencer, H.）である。彼は
物質から生命，そして精神へと人間の精神活動から社会生活のすべてを
進化という原理によって説明しようとした。また彼は「個体発生は系統
発生をくりかえす」という反復発生説（recapitulation theory）を経済の
原理で説明し，子どもの精神発達と人類の発達を比較して検討しようと
した。これは発達研究における比較の視点の重要性を示し，明治時代後
期の日本の教育界や思想界に大きな影響を与えた。

ダーウィンは幼児の発達についても観察記録を残して発達心理学への
途を拓き，人間の能力や素質の問題を考える視点を与えている。しかし，
社会ダーウィニズムは当時のイギリスにおける産業資本主義の発展が背

景にあり，能力差の問題も人種理論にまで拡大され，自由競争と弱肉強食という帝国主義的な植民地支配を合理化するイデオロギーとしての役割も果した。ダーウィンの進化論の著書に刺激された従弟のゴールトン(Galton, F.)は人間の心的遺伝や個人差の研究を行ない，人間の才能を科学的に研究しようとした。そして『遺伝的天才』(1869 年)において天才は素質によって決定されることを主張して，19 世紀以来今日まで，長く支配している決定論的能力主義の能力観をつくっていった。しかし，この一面的な生得的能力観は，一方では批判にさらされつづけ，発達心理学の発展とともに，生得説と経験説の統合をめざす試みがなされてきている。

1)　城戸幡太郎「児童の発達と社会の発達」『教育』1968 年 6 月号。

◉参考文献◉

◇石川謙『我が国における児童観の発達』一古堂書店，1954 年
◇横須賀薫編『児童観の展開』国土社，1969 年
◇ロック，J.『教育論』(梅崎光生訳) 明治図書，1967 年
◇ルソー，J.-J.『エミール』(今野一雄訳) 岩波文庫，1964 年
◇スペンサー，H.『知育・徳育・体育』(三笠乙彦訳) 明治図書，1969 年
◇ダーウィン，C.『種の起原』(八杉竜一訳) 岩波文庫，1963 年
◇コンドルセ，J. A.『人間精神進歩史』(渡辺誠訳) 岩波文庫，1951 年
◇ヘーゲル，G. W. F.『精神現象学』(金子武蔵訳) 岩波書店，1932-52 年
◇梅根悟『ヒューマニズムの教育思想』中央教育出版，1950 年
◇イタール，J. M. G.『アヴェロンの野生児』(古武弥生訳) 牧書店，1952 年
◇堀尾輝久「発達の視点，発達のすじ道（上）」『教育』1974 年 9 月号
◇今田恵『心理学史』岩波書店，1962 年

3 発達と教育の権利

基本的人権としての教育権　発達の研究がすすむとともに明らかになったように，人間の子どもは，他の動物と異なって，教育を受けなければ，ひとりだちできるようにはならない。つまり，発達することを要請される存在として生まれてくることが，人間の子どもの誕生の特徴である。とすると，教育を受けることによってその人格と能力を発達させることは人間の生来的権利に属することと考えなければならないだろう。人間の発達と教育のしごとについてのこのような考え方を教育権 (educational right, 教育を受ける権利〔right to recieve education〕ともいう) の思想という。ここでは，この教育権の思想がどのようにして準備され，現代国家，とりわけわが国の法体系のうえにどのように定着し，その運用と将来をめぐってどのような問題をはらんでいるかといったことを考えてみることにしよう。

　教育権の思想は市民革命によって新興の市民階級(ブルジョアジー)が権力をたたかいとった時期にはっきりとした形をとって登場し，人民(国民)主権と深くかかわって，近代人権思想の重要な一環として位置づけられたとみられている。たとえば，フランス革命を思想的に準備したともいわれるルソー (Rousseau, J.-J.) は，名著『エミール』(1762 年)のなかで，子どもを，自らの力で未来をつくる主体としてとらえるとと

もに，教育をうけることは，子どもにとって人間となるための権利であると主張した。革命期の代表的思想家であるコンドルセ（Condorcet）は，男女を問わずすべての「市民」が教育をうけるようにすることは，人間的諸権利の平等を実現していく手段であり，もっとも基礎的な権利であると考えた。彼はまた，人民主権の原理にもとづく民主主義政治は，なによりも主権者である人民一人ひとりの「理性の開発」が不可欠であるから，教育なくして真の自由も平等もありえないと主張した。とくに，教育をうける権利を中心とする子どもの権利は，古い世代をこえる「新しい世代の権利」であると主張した。

　コンドルセに代表される市民革命期の教育権思想は，人権の主体としての子どもの権利の承認，親の教育の自由，公教育の世俗化（宗教からの分離），教育機関の自律（公権力からの独立），公費による無償教育，単線型学校体系など，現代にも発展的に継承されている近代公教育の諸原則を内包したものであった。

　しかし，そこでの教育権は，あくまで私有財産をもつ独立した市民が自然からあたえられた権利と考えられていたことは忘れてはならない。資本主義社会の発展にともない，「市民社会」における階級分裂と相互の対立がはげしくなるにつれて，富のない労働者階級にとって教育権をはじめとする市民的諸権利は法の前のたてまえとなっていった。そればかりか，政権をとった市民階級（ブルジョアジー）は，自らかかげてきた民主的諸権利にもさまざまな制約をくわえた。制限選挙制，団結権の禁止，公費による無償教育制度のサボタージュなどはその例である。新しくおこってきた労働者階級は，生存権，労働権とそれを実現していく手段としての団結権，参政権を中心とした新しい人権をかかげ，それと密接にむすびつけて教育権を主張した。教育権の思想を高くかかげ，それを実質的に保障させるために，義務無償の公教育制度，科学にもとづく教育などの諸要求をうち出し，近代公教育の諸原則の内実をいっそう豊

かなものとして発展させていった。

わが国においては，明治維新による天皇制のかたちをとった絶対主義
の成立のもとで，近代的人権思想の発展はきわめて微々たるものであっ
た。しかし，天皇制下の教育においても，自由民権運動，明治末の労働
者の教育要求，大正期の日本教員組合啓明会の綱領，昭和初期の新教・
教労（新興教育研究所・日本教育労働者組合）運動にみるように，子どもの
学習権や教育の自由をふくむ教育権の思想がはっきりとした形で主張さ
れていたのである。

　教育権の憲
　法 的 保 障

基本的人権のひとつである教育権がそれぞれの国で憲法
上の保障を得るまでには，さまざまな曲折があり，労働
者階級を中心とした国民大衆の自覚的な努力が必要だっ
た。

権利としての教育という思想は，フランス革命期の諸憲法に初めて法
的表現をみた。そこでは，教育は「すべてのものに不可欠のもの」（1791
年憲法），「すべてのものの要求である」（1793 年憲法）とされ，そのため
に「無償の公教育」の義務を社会が負うことが規定されていた。ついで，
労働者階級の最初の革命といわれる 1848 年のフランス二月革命やイギ
リスのチャーティスト運動のなかでこの思想は深められた。また第一イ
ンターナショナルのバーゼル会議（1869 年）では，全面発達のための教
育を「すべての子どもの権利」として確認し，1871 年のパリ・コンミ
ューンでは「すべての子どもの権利となり，親と社会の義務となるとい
う意味での義務教育」が主張されたのである。

しかし，教育を受ける権利が一国の憲法のなかの明文として登場する
のは，20 世紀にはいってからであり，1936 年のソビエト社会主義共和
国同盟憲法（いわゆるスターリン憲法）がはじめてである。近・現代国家の
憲法中，教育について最も詳しい規定をもっていたとされるワイマール
憲法（1919 年）も，多くの教育条項を列挙したにもかかわらず教育を受

ける権利の規定はなく，国家社会への国民の義務に力点がおかれていた。さきのソビエト憲法は，「ソ連の市民は，教育を受ける権利を有する」（第121条）とはっきり規定したのである。

この歴史的規定の影響をうけ，第2次大戦後成立した社会主義国ないしは人民民主主義国の憲法およびいくつかの資本主義国の憲法にも，それぞれの国の歴史をふまえて，同様の規定がもうけられた。こうした情況と戦後の民主主義思想の国際的昂揚を背景に，国連においては，世界人権宣言（1948年）が採択された。そこには「何人も教育を受ける権利を有する」ことが高らかに宣言された。こうして教育を受ける権利の憲法的保障は，国際的な憲法原則として確立されたのである。

憲法・教育基本法制と教育権　　1946年公布された日本国憲法も，このような人権思想の歴史的展開と世界史的動向を背景にして誕生したものである。わが国憲法は，国民主権，恒久平和，地方自治の諸原理とならんで基本的人権の尊重を憲法原理として強くうたっている。すなわち，第11条は，基本的人権の「永久不可侵性」を，第12条は，人権が国民の不断の努力によって守られるべきことを，第13条は，「基本的人権の最大限尊重の原則」をかかげている。また，第97条は，基本的人権の歴史的意義をつぎのように総括している。「この憲法が日本国民に保障する基本的人権は，人類の多年にわたる自由獲得の努力の成果であって，これらの権利は，過去幾多の試錬に堪へ，現在及び将来の国民に対し，侵すことのできない永久の権利として信託されたものである」と。

権利としての教育の思想は，「学問の自由の保障」（23条）とともに，第26条に明記されている。「すべて国民は，法律の定めるところにより，その能力に応じて，ひとしく教育を受ける権利を有する」（第1項）。「義務教育はこれを無償とする」（第2項）。

この憲法26条の規定は，わが国の教育の歴史をふりかえるとき，決

定的に重要な意義をもつといえる。戦前のわが国においては，教育は国家（天皇）の権利に属し，国民にとっては，納税，徴兵義務とならぶ三大義務の1つと考えられた。教育行政学者の宗像誠也が「教育勅語体制」とよんだ戦前の教育は，教育勅語（1890年発布）を支柱とし，議会の意志さえもこえて天皇大権のひとつである独立命令によって教育の基本を決定し運用する強い国家統制のもとにおかれていた（教育の勅令主義とよぶ）。このような国家統制のもとでは，教育を国民の権利として問題にする余地は制度的にはまったくなかったのである。

　憲法26条を中心とする戦後の憲法・教育基本法制は，従来の教育観と教育法制を根本的に転換したということができる。それは教育の目的として，万人にそなわる人間性の尊厳をうたった。教育行政の基本原則としては，教育の官僚統制の撤廃，教育の地方自治と住民自治，教師の教育活動における自律性，教育行政の教育内容への不介入と教育条件整備義務の原則などを確認するものであった。

　しかしながら，憲法・教育基本法制の歴史的・現代的意義は，はじめから深くとらえられていたわけではない。教育を受ける権利を単に量的な教育機会の拡充としてとらえたり，憲法26条の規定は，完全な法律上の権利として国民が国家にその実現を請求できるものではない（いわゆるプログラム規定説），といった解釈が，ながく憲法学の通説としてもまた行政解釈としてもとられてきたのである。

　教育を受ける権利の歴史的・今日的意義は，子どもや青年の豊かな発達を求める国民と教師の教育運動と教育実践の戦後三十余年にわたるつみかさねの努力のなかで，国民の教育権論としてはじめて正当にとらえられてきているということができよう。

国民の教育権の構造　　国民の教育権の構造というとき，われわれは2つの側面から検討する必要があろう。1つは，それがどのような中身をもっているのかという，教育権の内容構造である。

2つは，それが，子ども，親，教師，国家（行政）などの権利・義務関係の総体をどうとらえるのかという，教育権の主体の関連構造である。

まず前者について検討しよう。憲法26条に規定された教育を受ける権利の本質をどうとらえるかについては，これまでいくつかの説が出されている。兼子仁の『教育権の理論』によると，それは主権者である国民の民主政治的能力の拡充のために国家の条件整備を求める権利であるとする「公民権」（政治的権利）説，憲法25条の生存権の教育・文化的側面へのあらわれとして，国家が教育の機会均等化の経済的配慮を行うべきことを本質とする「生存権」説（経済的権利説），すべての国民とくに子どもが教育を受け学習することにより人間的に成長し発達していく権利であるとする「学習権」説，などである。

これらの諸説は，かならずしも相互に対立するものとはいえず，教育を受ける権利をとらえるとき，どこに力点をおくかのちがいともいえよう。たとえば牧柾名の『教育権』は，今日，教育を受ける権利の歴史的発展過程をふまえて，もっとも包括的に内容構造を問題にすれば，つぎの4点をふくむものになるとする。すなわち，(1)国民の知的・精神的自立——それに密接不可分なものとしての知的探求の自由，(2)労働権の本質的保障，(3)人間が知的・精神的・肉体的能力を全面的に発達させる権利，(4)自覚した政治主体として自己自身を形成すること，であり，(3)の全面発達の権利が中核となって他の3つが相互に関連しているというのである。さらに考えられうる教育権説とともに，この点は今後の研究課題である。

つぎに，教育権の主体の関連構造について検討しよう。教育権をこの観点からみるとき，広義には，教育の当事者である子ども，親，教師，国民，国家（政府）などの教育に関する権利，義務，責任と権限の関係の総体をさすといわれる。そして，これらの関係の総体が，なにを基軸として，どのように構造づけられるかによって複数の教育権理論が成立

すると考えられる。1960年代以降，国民の教育権論は，これらを人間
の発達保障にふさわしい原則にのっとって構造的にとらえることにより
豊かに発展させられた。

　国民の教育権論は，子ども・青年の真理・真実を学ぶ権利（学習権）
を中心におく。そして，親にとっては，子どもの発達保障にふさわしい
教育を選びもしくは，それを共同してつくりあげる権利（子どもに対し
ては義務）であり，教師にあっては，国民の直接の負託により，子ども
の発達保障にふさわしい教育内容・方法と条件を研究し，選択し，実施
する権利（教師の教育権＝教育の自由）である。また，自治体住民・国
民としては，みずから学習し，文化的教育的活動をおこなっていく権利，
教育方針や計画の策定に参加する権利であり，自治体・国の行政にとっ
ては，教育についての国民の合意を基礎に，その教育を推進するための
条件整備に努める責務である，といわれている。

　実現の課題と　　「教育権は国民にある」と宣言しただけでは十分では
　しての教育権　　ない。権利の保障が制度として実現されなければなら
　　　　　　　　　ない。その意味から教育を受ける権利を規定した画期
的なわが国の憲法・教育基本法制も，それだけでは国民の教育にたいす
る権利を全面的に保障したものとはいえない。たとえば，現状では，子
どもの学習権を保障するうえで不可欠な義務教育の無償制は授業料や教
科書の無償に矮小化されていること，障害をもった子どもの教育機会を
保障する養護学校が今日になっても義務設置されていないこと，義務教
育諸学校の設置基準が定められていないため，2,000人をこえる過大学
校，プレハブ校舎が存在していること，などがあげられる。また，教師
の教育権の制度のうえでの保障の面についてみれば，教育課程の編成，
職員会議の権限など教師の自主性を保障するために必要な法制の不備が
あげられる。父母・住民の教育権の側面では，教育行政に参加する公的
なルートが開かれていないこと，学校運営に意見を反映させる公的なル

ートがないことなどがあげられる。

　こうした制度的な問題とともに，子どもの発達と教育の権利をもっと直接的なかたちで阻害する事態がいろいろのかたちで存在していることも重要である。子どもの成長の基盤にふさわしい家庭と地域の環境破壊が進行していること，退廃した文化がマスコミなどを通して子どもをとりまいていること，学歴主義と受験地獄が学校教育をゆがめていること，などがそれである。

　これらをみるとき，子どもや青年の発達と教育の権利は，実現しているのではなく，実現されるべき課題としてわたくしたちの前にあるものだといわなければならないだろう。そのためには，憲法・教育基本法や児童憲章の趣旨をいっそう豊かに発展させ，その保障を制度のかたちで確立するとともに，教育を1人ひとりの権利であると同時に，国民的事業としてとらえかえし，教師と親と地域住民の連帯と協力を創造していくことが必要になってくる。そして，これらを励まし，支援する地方および中央の政治を合せてうみ出していくことも課題になってくるだろう。

◉参考文献◉

　◇堀尾輝久『現代教育の思想と構造』岩波書店，1971 年

　◇牧　柾名『教育権』新日本出版，1971 年

　◇兼子　仁『国民の教育権』岩波書店，1971 年

　◇　同　　『教育権の理論』勁草書房，1976 年

　◇永井憲一『国民の教育権』法律文化社，1973 年

　◇宗像誠也『教育権の理論』（同教育学著作集第 4 巻）青木書店，1975 年

　◇真野宮雄編『教育権』第一法規，1976 年

　◇相良唯一編『公教育と国の教育権』明治図書，1974 年

4 教育的価値論

教育は，価値追求の行為だといわれる。しかし，そういえば，政治の世界でも経済活動でも同じこ

教育的価値論の課題

とだ。それぞれの人間行為は，それぞれの価値を追求している。政治的価値，経済的価値，宗教的価値など。そうだとすると，政治でもない宗教でもない，ほかならぬ教育の世界で追求され創り出されている価値はどのような性質の価値かということの方が，明らかにされなければならない問題だということになるだろう。ひとは何を求めて教育に力を注ぎ，子どもがどのようになることをもって教育された状態と考えるか。この問題の解明が教育的価値論 (pädagogische Wertlehre) の課題である。

これまで述べてきたように，教育で求められているものは，端的にいえば人格と能力の発達である。前節でのべたようにその目的世界は，現代では人権に属する事項と考えられている。しかし，このようにのべただけでは，間違いではないにしても問題を真に解いたことにはならない。教育的価値論が教育学の一分野として成立するのは今世紀の初頭のヨーロッパ社会においてである。それ以来今日まで，いろいろの機会に説かれてきた広い意味での教育的価値論は，つぎのいずれかに属するといっていい。

(a) 人格（能力）モデルのかたちをとった価値論……（例）生きて働

〈学力，教育勅語，全面発達，出会い

 (b) 教材論のかたちをとった価値論……（例）理科工作の教育的価値，歴史科の普遍的価値と特殊的価値

 (c) 文化的価値論としての教育的価値論……真・善・美，プロレタリア文化，国民文化

 (c)では一般的に文化のあり方が問題にされているのに対して，(b)では，(a)を前提にして，なにが教える値打のある文化であるかということが問題にされている。しかし，(b)は，同時に(c)をも前提にしなければその内容をうることができないだろう。同様のことは他のありうる関係についてもいえる。だから，この三者は相互に前提となり結果となっているものであって，じつは教育的価値の3つの層を示しているものと考えておいた方がよい。

日本の教育的価値論の成立　日本で，教育的価値論が，ひとつの研究分野として成立するのは大正デモクラシーのさなかにおいてである。この事実は興味深い。民衆は学校のない時代から自分たちの手で子どもを育ててきた。だから，かれらの間には，生活のなかの教育的価値論ともいうべきものが伝承されていたにちがいない。しかし，教育学という，日本では民衆の生活から離れたところで国家の手によりつくられてきた学問では，事情は異なる。国家価値からの教育の自立という契機が多少ともその関係者の間にでてこなければ，この理論は，学問としては誕生しえなかったのである。

 この時期に，教育的価値論を比較的体系的に説いた教育学者のひとりに篠原助市がいる。かれは同時代の自由教育運動の擁護者であった。その自由教育は，新しい理想主義 (idealism) をかかげる新カント派の哲学が基礎になっていた。篠原は，子どもには子どもなりに，できる子，よい子になろうとする「自然の理性化」の働きが内在している。その働きの教師による「助成」が教育であるとした。かれのいう目的としての

「理性的なもの」は，真・善・美・聖である。これらの価値は普遍的な
ものだが人間（教師も子どももそのひとり）には不可知なもの，したが
って永遠に課題であるものと，かれは考えた。主著である『理論的教育
学』（1929 年）では，これらの価値が構造化され，「聖」なるもの，つま
り宗教的価値を「最高位」におく立場が示されている。日本の教育的価
値論史にとって，この理想主義の価値論がどのような意味をもっていた
かを考えてみよう。

　(1) 篠原は，教育を子ども自身の「理性化」作用の教師による「助
成」とする立場からその価値論を説いた。そこで，この価値論は，子ど
もの活動（activities）——それは発達の属性である——を内に含むもの
になりえた。

　(2) 「助成」の内容として，真・善・美・聖といった，教育の政治的
効用にかかわるナショナルなもの，その経済的効用にかかわる実用的な
ものにとどまらない人間共有の普遍的な文化遺産を考えた。その結果，
(1)の知見と組合わせると，この価値論からは，人類の文化遺産を人間発
達の作用にあわせて構造化することをもって教育の計画と実践の本質と
するという，いかにも教育の方法らしい方法論がひき出されてくること
になった。

　(3) 価値を，子どもだけでなく教える側にとっても不可知のものとし
た。そのため，教育の目標，教材，法制などがドグマになる途をふさぐ
ことができるようになった。

　戦前日本の教師の意識と教育学には，教育を国民の手のとどくものに
することよりも，教育を国家価値から自立させ，その固有の領域を開く
ことの方をより大切なこととする傾向がみられた。それは今日のもので
もある。篠原の価値論はこの要求を満たすものだったといえる。それゆ
え，篠原の価値論は，もはやかれの名を冠してよばれないにしても，現
代においてなお多くの人びとのものである。たしかに，その知見には学

ぶべきものが多い。しかし，上記の3つの長所も，すこし見方をかえると逆に弱点になったりする。つぎにこの点を考えてみよう。

哲学的価値論と教育的価値論　教育は，発達，つまり人間の素質が自分の力ではなすことのできなかった内的・外的行為の助成作用である。そうだとすると，教育の価値は，その助成によって新たに蓄えられた部分にこそあるものとみなければならないだろう。そこで，もし発達の概念を中核において構成するのが教育的価値論の固有のあり方だというのなら，その価値は，真か偽か，善か悪か，あるいは芸術性豊かかどうか，といった類のものだと考えていたのでは不徹底だろう。同じ文脈でいうなら，どうすることによってより真になりえたか，より善になりえたかという優劣の方法論的・発生論的尺度でなければなるまい。しかもそれは，同じ方法論的・発生論的尺度であっても，農学や経営学などで考えられる経済的な尺度とちがっていなければならないはずだ。人格と能力の社会・経済的効用にではなく，その発達の秩序そのものに尺度の原点をもつものでなければならないだろう。この点を問題にして，篠原らの理想主義的な価値論を，「哲学的価値論」の範囲をまだ十分にぬけきっていないものと論じたものに，心理学者城戸幡太郎の「教育と文化——教育的価値論——」（1919 年）がある。城戸によれば，できる子とかよい子とかいうばあい，教師にとっては，そのできぐあいやよさかげんの，学問の進歩や経済発展などにとっての「有用」さではなく，「人格の自覚的発達可能の程度」にとっての効果こそが問題なのだという。教育というしごとの固有の性格をいっそう強調することによって，城戸の価値論は，発達の概念をいよいよ中核部分にひきこんでいる点に注意したい。この観点は，戦後のさいきんになって，発達の観点を含んだ学力モデルや能力モデルのかたちで，研究されるようになっている[1]。城戸の提言は，教育学の学問的性格に関して，つぎの2つのことをはっきりさせたという意味でも重要である。

(a)　心理学，社会学，哲学など，テオリアの学と教育学との違い。

(b)　農学，工学，経営学，政治学など，ポイエシスの学のなかでの教育学の特殊な位置。

普遍と個別　理想主義の教育的価値論に対する疑義は，価値の内容についても出され，ひとつの論争になった。真，善，美，聖といった超越的な文化からなる価値の内容の当否をめぐる論争である。形式陶冶論争はそのひとつである。この論争は18世紀ドイツの教育学者のあいだの論争にはじまり，20世紀には，アメリカの数学者ソーンダイク（Thorndike, E. L.）らの転移（transfer）研究を経て日本の1930年代の生活教育論争の主題のひとつとなった。

教育は「永遠」である。それゆえ，その目的と評価の基準は普遍性をもたなければならない。そして，普遍的なものはすぐれて超越的で形式的なものである。――こうのべて，数学や古典語の教材としての教育的価値を強調したのが，ニーマイエル（Niemeyer, A. H.）らカント派の教育学者の学説にはじまる形式陶冶説である。だが，果たして普遍的なものは超越的なかたちでしか存在しないものか。普遍的なものは，むしろ個別的なものをとおして存在しているのではないか。――これが，その批判者たちの主張である。形式陶冶説の徹底した批判者のひとりは，戦後日本の教育に影響大きかったアメリカの教育学者デューイ（Dewey, J.）である。かれはその主著『民主主義と教育』（1916年）に，こうのべている。

「形式陶冶説……の根本的な誤りはその二元論である。すなわち，活動や能力をそれらの対象から切り離していることである。漠然と一般的に見たり，聞いたり，記憶したりする能力というようなものはないのであって，ただ，何物かを見たり，聞いたり，記憶したりする能力があるにすぎない」[2]。

デューイのめざすところが，科学（science）の教材として価値を万人

に認めさせ，それを教育課程にもちこむ点にあったことは，今では周知のことになっている。政府によって育てられ，家族国家という巨大な政治池のなかにどっぷりとつかってきた日本人の心とからだをそこからひきあげ独り立ちさせるためには，日本の親と教師は，いったんは超越的な価値論のカンフル注射をうけることが必要だったのかもしれない。しかし，自立を現実のものとするためにも，教育で期待される人格や能力は，日常生活のうえでの「実力」とよばれているものをどこかに含んでいなければならないだろう。こうして，超越的で，個人生活中心の傾向もあるこの価値論と並んで，他方では，地域生活や社会的な生産活動に結びついている文化価値が注目されることになった。第2次大戦後の日本の民間教育運動のなかで提起されてきた手労働や技術学，集団的規律とその自主管理の能力，さらには真，善，美という古典的価値の「普遍性」そのものを疑い民族文化の教育的価値を説く主張などがそれである。社会主義国で発展した総合技術教育（ポリテフニズム）論や，職業を中心にした新しい教養像の確立を説くワロン（Wallon, H.）の主張もある。

　価値の内容をめぐる論争は，このように，なにを教えるべきかの問題である。この論争は，じつは，教育の力で子どもが発達するというとき，それは子どもというある意味では抽象的な存在が発達しているのか，それとも，子どもを通じて何か別のもの，たとえばひとつの歴史的文化，社会集団といったものが発達しているのかという2節（16頁以下）であつかった発達観の分野での論争と関係がある。後者の立場をとるとき，子どもの発達は最初から社会の発達や民族文化の歴史とわかちがたく結びついている。そこで，技術や社会的労働のほかに社会的な連帯の力をつちかい，民族文化を創造的に発展させる能力を育成することが目標とされることになる。

不可知論の根拠　理想主義の価値論でもうひとつ問題になってきたのは，前述の(3)に関係のあるその不可知論としての側

面である。価値は多元的なものであり，評価の基準はせいぜい相対的なものでしかないという論法は，前記のように，形式化した既成の教育の制度や方法を解体していこうとするとき威力を発揮する。

　不可知論はひとつのイデオロギーである。だがわたくしたちのばあい，芸術作品の創作に近い機微をふくむ発達を拓くしごとの特質が，時代の違いをこえて，このイデオロギーを説得力あるものにしているのかもしれない。先記の城戸幡太郎の定義にもあったように，発達とはもともと学習者ひとりひとりの「自覚的」な行為であって，画一主義や形式主義とは本質的になじまないのである。しかし，そうかといって，価値は知られないというのでは，これは結局のところ，教育否定の立場にいきつく。教育否定の思想が一種の解毒剤としての教育性をもっていることは事実である。しかし，積極的に考えて教育をどう計画すべきかということになると，この立場からでてくる答は，人為を超えた偶然ということになってしまう。現代の不可知論の代表的な教育学者のひとりである実存主義者のボルノゥ（Bollnow, O. F.）はのべている。

　「（教育的価値としての）すべての出会いは，算定しえないもの，もっとも深遠な意味において偶然的なもの，であり，したがって，原則として一切の意識的な教育計画からはずれるものである[3]。」

　不可知論のもっている発達を拓くしごとにとっての積極的な意味を生かしながら，どうすれば，わたくしたちは，自分たちの手で自分たちの人格と能力解放の教育計画書を現実に書くことができるか。教育的価値論は，古い教育学では「教育目的論」とよばれていた部分と領域のうえでは重なっている。その遺産もひきつぎながら，この問いに答えていくことが，現代の教育的価値論の課題である。

**教育的価値は
だれが決めるか**
　　教育のしごとに従事している人びとの職種や地位は，多種多様である。子育ては，かつての日本では，老若，男女ふくめ村をあげての共同事業だった。そこ

には，村のなかでいろいろの地位にいる，いろいろの年齢の人間と人間集団が登場した。学校の占める部分が途方もなくふくれあがっている現代にあっても，事情は本質的なところでは変っていない。教育のしごとは本質的にそういうものであり，人間の子どもは，多種類の相互に異質な人間関係の網の目をくぐらなければ，ひとり立ちできるようにならないものかもしれない。

　そうだとすると，このような多種の人間と人間集団のなかで，教育的価値はだれが決めるかという問題がおこってくるだろう。前節であつかった教育権の問題とも関係してくるが，さいごにこの問題を考えてみることにしよう。勤務評定，教科書検定制度，全国一斉学力テストの合法性をめぐる各裁判所の判決や論争など，わたくしたちのまわりでは，この問題をめぐる論争が数多くおこなわれてきた。

　教育権の持主は，教会（寺院）か国家か。近代の教育権論争はそういうかたちで始まった。周知のように，現代日本の抗争には，国家と地域住民または親，政府と教師集団または教師という図式がみられる。そこでこの抗争の現象を額面どおりにうけとると，国家，国民，教師それぞれを教育的価値の第一義の決定者とする考え方があるということになる。

　これらは，教育的価値の決め手についてのそれぞれに根拠をもつ考え方である。しかし，現代日本の同じ抗争の現象を，上記三者とはすこしちがった決定者論で説明してみることもできるのである。

　事実問題と価値問題　教育における価値の問題は，メタルの裏側をかえせば，人間の生き方の問題である。そしてこれを支えているのは人間としての要求である。このことは，最初にとりあげた教育的価値の三層のうち，(a)の人格モデルの部分をみるとよくわかる。ところで，生き方と要求の当事者は，このばあい，被教育者である。したがっていま問われている生き方と要求は，青年や子どもの生き方であり要求であるということになるだろう。この点に着眼すると，教

育的価値のもうひとつ別の第一義の決定者候補として，青年や子ども，時には被教育者としての「おとな」が登場してくることになる。子どもこそが教育的価値の持主であり，かれらもまたひとつの教育思想の担い手であるとの主張。じっさい，この論法ぐらい，ルソー (Rousseau, J.-J.) 以下の近代の教育思想家の著作を鮮やかに色どっているものはない。しかし，他方，思想のうえでのその魅力にもかかわらず，児童中心の教育がながく実践され，維持されたという実績がないことも事実である。なぜだろうか。

　子どもや青年が，なんらかのかたちでの教育的価値決定の参与者でなければならないことは，先にのべたこの価値の本質からいって，正当だろう。ただ，間違えてならないことは，生き方は価値の起源になるものであり，要求はその支え手ではあっても，価値そのものではないということである。

　生き方や要求はひとつの事実である。ところで，価値は，事実を調べあげていけば，そこから自然にでてくるだろうか。価値の地平は事実の世界をいったん切らなければでてこないのではないか。この事実と価値の関係問題は，価値と主体の問題とともに，価値論史上の古典的なテーマであって，決着のついている問題ではない。日本でも試みられた児童中心主義の教育運動は，この問題に挑戦し，結局ここでつまづいているのである。

教育と価値の争奪　子どもや青年の生き方や要求には，発達の世界へとひらかれている発展的な契機と，逆に閉じられているものがあるだろう。また，その発展的な契機も，これを文化遺産を媒介にしてつくりかえ，発明しなおさなければ，そのままでは価値ある教材とはならないだろう。子どもや青年の生き方や要求という事実の世界とまったく切れたところに教育的価値の世界があるわけではない。しかし，前者が後者に転ずるためには発明家のしごとが必要である。子

どもや青年を価値の決定者とする考え方でいくと，今日の日本で争われ
ている国家や教師の教育権，親権説にいう親の価値決定者としての権限
などは，この価値の発明家としてのしごとに由来するものということに
なるだろう。

　いずれにしても，価値の決定にあたっては，人間の数多くの生き方や
要求のうちいずれを発展的なものとするかの判断を避けることはできな
い。そこで，その判断自身が論争問題になる。このように考えていくと，
勤務評定以下の現代日本の教育論争は，国家対教師集団や親の抗争であ
ると同時に，別の次元では教師相互，親，さらには子ども・青年相互の
間の価値の探求と争奪のしごとなのであり，そのいずれかに公権力の支
持を与えるものとして国家が介入してくるという両者のもうひとつ別の
関係がみえてくるだろう。教育のあり方が一枚嚙んだかたちで現代社会
特有の貧困問題が，あたかも親や子どもの私的な道徳問題であるかのよ
うな外観をとりながら発生しているのは，じつはこの関係を通してであ
る。新しい型の貧困をつくりだした政府の人的能力開発政策（man pow-
er policy）は，国家独占資本主義下の産業界の教育要求をみたしただけ
でなく，一部の親や教師からも支持された。国家教育権とその政策とい
えども，上から宙づりにされているのではなく，国民のなかのある層の
それなりの生き方と要求を支えにして成り立っているものである。その
成り立ち自身が間違っているのではない。ここで，政策が，どの類の要
求を選び，肥大化させ，これをみずからの教育計画の支え手とするかが
問われなければならないのである。

　このことは，教育的価値の研究方法に対してひとつの示唆を与えてい
る。子どもや青年，そして「おとな」の発展的な生き方や要求に，習俗
やことばにならない身ぶりと表情だけの次元にまでおりていって学びな
がら，これを人格モデルや教材としての価値へと発明するしごとが要求
されているのである。教義問答書，教育勅語，毛沢東語録などを，こう

いった観点で分析してみるのもおもしろいだろう。

1) 勝田守一『能力と発達と学習』国土社, 1964 年, 坂元忠芳「能力と発達のすじみちについて」『教育』1974 年 1 月号, 中垣啓「能力の構造」『東京大学教育学部紀要』第 14 巻, 1975 年, など。

2) デューイ, J.『民主主義と教育(上)』(松野安男訳) 岩波文庫, 1975 年。

3) ボルノゥ, O. F.『実存哲学と教育学』(峰島旭雄訳) 理想社, 1966 年。

◉参考文献◉

◇勝田守一『教育学』第 1 章, 第 2 章, 青木書店, 1958 年

◇大田堯『教育の探求』東京大学出版会, 1973 年

◇中内敏夫・堀尾輝久・吉田章宏編『教育学の基礎知識(1)』有斐閣, 1976 年

② 教育の概念

1 自然と教育

これまでのべたことをうけて，つぎに教育実践の概念の検討をしよう。ここに教育実践とは，子どもや青年の発達を目的とする親や教師の文化遺産の伝達や集団づくりなど，諸種の次元にわたるしごとをいう。「教育活動」，単に「教育」とよぶ人びともいる。また国家や自治体の教育政策とこれに対する地域住民や教師の教育運動までも教育実践の概念に含めていうばあいもある。

「合自然」の意味 教育学は，17世紀のコメニウス (Comenius, J. A.) のとき以来しばしば，教育の目的と方法としての「合自然」について語ってきた。その意味するところはひどく難解で，ながく教育学史のネックになってきた。教師のしごとは人格 (personality) を対象とするひとつの制作行為，つまり制度や技術，あるいは芸術の一種だと定義できる。そうだとすると，このしごとは，人間的自然が自分ひとりの力ではなすことのできないことを，その自然をしてなさしめること，ということになる。そこでコメニウスは宣言する。

「今やすべての事物をすべての人に教える技術の基準になる原理は，自然を教師とし自然から借りてくる以外に道のないことが明らかになった。」

教育の成立を実存主義者のようにひとつの「偶然」に帰するのならともかく，これを人間の実践の所産とみるとき，こうして，「自然」がいやおうなしに問題になってくる。

教育の進化　　　人間の内なる自然——遺伝 (heredity) とか素質 (predisposition) とよばれてきたもの——が変わる，または，これを変えるという問題を考えていくうえに大事なのは，進化 (evolution) の概念である。じっさい，スペンサー(Spencer, H.)やデューイ(Dewey, J.) の著作を通じて，ダーウィンの学説は教育論に影響を与えてきた。

教育は近代の啓蒙期をくぐり抜ける間にその概念をせばめ，人間社会に固有の行為と考えられるようになった。カント (Kant, I.) や，ややおくれるがミル (Mill, J. S.) の定義はその代表的なものである。教育実践を狭義の文化，つまり「悟性の使用」にかかる文化遺産の伝達の次元でとらえるとそうなる。しかし逆に，これを産育の次元にとって，もっと広く種の持続のための法則的行為というふうにみていくと，教育は動物界にも広くみられる行為ということになる。

この広義の教育は，アメーバから現生人類（ホモ・サピエンス）まで共通して，親の生存との深い葛藤のさなかに続けられてきた。種の進化の歴史は，この矛盾が少しずつ「緩和」[1] されていく歴史であるといわれている。アメーバのような単細胞原生動物では，細胞分胞という親の死を意味する行為によってはじめて，次の世代の誕生と成長の世界がひらける。多細胞有性動物になると親子共生の可能性がひらけるが，それでも両者の矛盾はなお激しい。海産の無脊椎動物の多くは，個体維持のために，卵精子の海中への放出という種属維持を犠牲にした方式をとるのに対し，他方，最初の脊椎動物である魚類は，卵精子結合の可能性と育児の確実性を高めるために卵数を親の生存の生理的限界ぎりぎりまで増大させる。哺乳類にいたってこの関係の構造は一変する。子は，母胎内で栄養をうる胎生と出産後の哺乳という他の動物にはない確実な方法を得て，親の個体維持

の行為が同時に種属維持の機能をもになうようになる。しかし矛盾が皆無になったわけではない。手足まとい，雌雄・男女の不平等というまた別の性質の矛盾が発生する。哺乳類の最高に進化した形態である現生人類においてもことは同様である。女性の職場進出で，こんご日本でもこの矛盾はいっそう激化してくるだろう。

　進化の歴史は，生物が種としてのみずからの自然性を変える——ダーウィンの著作の表題によれば新しい種をつくる——ことによって環境に適応してきたその自然史である。そういう意味では，産育のしくみのこの進化史は，広義の人格開発の自然史といえる。人格開発の自然史もまた人格の育成の世界である。しかしこの領域は教師の教育実践にとっては前提条件ではあっても対象領域をなすものではない。だから，この前提部分がどのような性格のものであるかは教育的価値の問題とはならないことについては，前節でのべたとおりである。それ——たとえば人の生得の能力とよばれてきたもの——は，一般的にはできる子，できない子というかたちで社会的な評価の対象になることはありうるとしても，よく教育された子かどうかというかたちで教育評価の対象となることはない。ここのところをまちがえているのが，教育を人材の選別（selection）と同一視する教育の疑似概念である。選別は人格に対する評価の一種だが，教育の評価ではない。教師にとっては，馬鹿か賢いかではなく，より賢い子になったか否かの判断だけが問題なのである。

　けれども，このことは，子どもの素質が教師のしごとにとって無関係だということではない。教師は，たとえば子どもの知能に働きかけこれを育てようとする。だが，この情況に応じた行動を可能にする知能（intelligence）という存在の誕生自体が，生物の進化史の道程に生みおとされた事件なのである。中部日本の教育俚諺にこういうのがある。

　陽気（自然の力）でひとね（人練）る

　教師のしごともひとつの技術と芸術である以上，人間が産育の進化史

からうけとった人間的自然の秩序にしたがわざるをえない。教育実践は，人格の自然の秩序に従うことによってこれを人格の発達の世界へと拓こうとする。

教育の進歩　動物学者のポルトマン (Portmann, A.) は，現生哺乳類をその胎生－育児構造の特質に着目して分類し，就巣性 (Nesthocker)，離巣性 (Nestflüchter) の 2 つをあげている[2]。就巣性というのは，ネズミやネコなど妊娠期間が短く，多数の子を生み，親の保護がなければ生きていけないほど新生児が能なしの動物群。クジラやウマなど妊娠期間が長く，少数の子しか生まないが新生児は親なみでその日からひとりだちできるのが離巣性。ヒトと猿類の一部は長期の妊娠期間など多くの点でウマの仲間なのに新生児が能なしの点ではネズミの仲間に入る。ヒトの子どもは小型の大人ではない。ところで，こうして大人以前の能なしで生まれてくるということは彼らが生理的に早産（たとえ 10 カ月で「月満ちて」といっても）であって，その成長が母胎内という自然法則の作用する領域にとどまらず母胎外つまり歴史・社会法則の作用する領域にまでもち越されて進行することを意味する。しかし，このことは，その成長のあり方が母胎外の世界の作用をうけることを必ずしも意味しない。ここに，同じように就巣性でありながらネコ類とヒトの間の決定的な違いが出現する。ネコのネズミとりの能力は親の庇護のもと母胎外で獲得されていくとしても，それはこの連中が祖先から遺伝によってうけついだ素質の開化として姿を現わしてくるものである。ところが，ヒトではその遺伝情報が制度，集団，概念，知識，技術，芸術的形象など文化遺産のかたちで母胎外に外化されていて，その母胎外成長の過程はどういう文化的脈絡のもとに入るかにより強く左右される。人間なみに育てられてヒトの能力をそなえるにいたったネコの例はきかないが，オオカミに育てられたためにヒトの資質を失った人間の例は少なくない。人間と猿類の一部は，その成長（growth）の過程を他のどの動物ももた

ない発達の世界へと拓くしくみを，ながい進化史のはてに得た誕生の構造のしくみそのもののうちに備えているのである。

ところで，ここで考えてみたいことは，こうして人間における発達の世界の成立に決定的役割を果たす文化遺産とは，これを進化の相においてみるとき，いったい何者だろうかという問題である。この問題を考えるうえで興味深いのは，サルから猿人（ビテカ・アントローブ），そして原人，旧人へとはげしく進んできたヒトの進化の歴史は，約8万年前，現生人類である新人（ホモ・サピエンス）の出現とともに停止するのだが，この停止の時期というのは，人類が突然だか，ゆるやかだか，いずれにしても文化 (culture) を獲得しこれを蓄積していく能力をえた時代であるという事実である。この符合を関係のない偶然の一致とするか否かによって，人間の社会史に対して進化論の意味するところが全くちがってくる。前者の判断をとるとき，人類の民族，階級，国家の興亡史は，自然淘汰と優勝劣敗の法則に従ったものとする社会ダーウィニズムが成立する。逆にこの符合を重視した人物に，ダーウィンに進化論の構想発表の契機を与えた人物であるアルフレッド・ウォーレス (Wallace, A. R.) がいる。ウォーレスの判断からは，人間の社会史にかぎり進化の法則はもはや単独ではこれを左右しないという認識がでてくる。それだけではない。他方，文化の側の役割については，以来人類は，みずからの種としての特質をかえる（進化する）ことによってではなく，文化の方を変える，つまり進歩 (progress) するその「創作性」（ドブジャンスキー，T.）によってその環境の変化に対応してきたという認識がでてくる[3]。ヒトは進歩することによって自らの進化をくいとめる。ダーウィン自身がウォーレスのことばを使ってのべていたところによると，現生人類はこの「心的能力」によって「変化する万物に調和して変化しない体を保つ」てきたということになる。

いずれにしても，文化遺産が担っているのは，進化の方ではなくこの進歩の世界の方である。ところが，教師はこの文化遺産を選んで個体に

伝えることによって，その成長を発達の世界へとひらこうとしている。ここで，文化とよばれているものが，今日の民族国家と階級社会のなかで現実にもっているその多義性をひとまずカッコに入れて考えてみよう。すると，教師は，「変動する万物に調和して変化しない体を保つ」役割を担うこの文化遺産を子どもに選びつつ伝えようとしているのだから，そのしごとの本質は，その文化が本来の構造をそこなわないままに伝えられているかぎり，人間を変革しようとしているのではなく文化を変えようとしているものであり，人間的自然に関していえば，じつはその保存に本質があるということになるだろう。

だが周知のように，現実には，教育実践は人間の変革であるかにみえるばかりか，実質上も，文化の伝達の名のもとに人間らしさを他のものに変えてしまう疑似教育がおこなわれてきた。このような文化の伝達は，なるほど，人格に働きかける行為であるとしても，教育とはいえない。わたくしたちは，発達を意図的な目的としないところでおこる人格の形成を形成（формирование, forming）とよび，教育実践とは区別する。教師のしごとは，選別のばあいと同様，ここでは形成を基盤にしながらも，その人格形成作用を経済的価格や政治的効用，軍事的効率などではなく，教育的価値を目的として組織しなおそうとする。次節では，この問題を，教育実践のすこし別の次元で考えなおしてみよう。

1)　大田堯「現代日本教育の基本問題」『教育』1975 年。
2)　ポルトマン，A.『人間はどこまで動物か』（高木正孝訳）岩波書店，1961 年。
3)　Dobzhansky, T. & Montagu, M. F., Natural selection and the mental capacities of mankind (ed. Montagu, M. F., *Culture and the evolution of man*, 1962).

◈参考文献◈

◇周郷博他編『現代教育の目標』日本標準，1968 年
◇デュボス，P.『人間への選択』（長野・中村共訳）紀伊国屋書店，1975 年

2 集団と教育

教育と人間形成　　教育実践における集団と教育との関係は，生活にお
ける社会と人間形成との関係を基盤にして構成され
るけれども，前者は必ずしも後者の直接的延長上に構成されるものでも
なければ，後者に従属するものでもない。前者は後述するように，人間
の発達的価値を目的意識的に追求するという独自の立場をもっているが
ゆえに，それは後者を基盤とはするもののそれとは相対的に独立した次
元にたつものであると同時に，その次元における教育実践をつうじて後
者に働きかえし，これを意識的に再組織化しようとするものである。

　しかし，これまで教師の教育実践における集団と教育との関係はこの
ようなものとしてとらえられてこなかった。それは通常，生活における
社会と人間形成との関係の延長上に構成されるものとだけ考えられてき
たために，とりたてて教育学的反省の対象とならなかった。そこでは，
教育は社会による人間形成のよりいっそう洗練された，組織化された形
態と考えられ，人間個人の行動と意識を統制的に形成するものだとされ
てきた。そのためにそこでの教育は，所与の社会秩序，社会的範型のな
かに個人を順応させる教化としてしか存在し得なかった。

　だが，このような把握は二重の意味で誤っている。まず第1に，それ
は教育と形成（формирование, forming）との区別を混同しているとい

う意味で，第2に，社会的現実の中の集団と教育実践の中の集団との区別を混同しているという意味で，誤っている。このために，この把握は人間の発達の主導的側面であるところの社会化（socialization）という概念をいちじるしく固定化させるとともに，それでもって教育と発達の総体をくくるという誤りを犯す羽目になった。

　たとえば，デュルケーム（Durkheim, É.）は，教育を理念的にしか考察し得なかった19世紀教育学を批判して，教育とは所与の社会による人間の社会化であると喝破したのはその限りでは正しかったが，しかしかれは社会による一方的な人間統制を強調することによって先にみたような二重の誤りを犯し，その結果，教育とは所与の国家および社会諸集団がその必要とするものを一方的に教えこむものだという驚くべき見解に達した。このような社会による一方的な人格統制や人格操作をもって教育・形成ととらえる見解はいまなお支配的であるが，しかしこうした見解は社会学的にも，教育学的にもまちがっている。

　集団の人間形成作用　たしかに人間は所与の社会全体，国家，組合，職場，隣保組織，家など社会的諸集団の影響下で形成されはじめるが，人間は社会や集団によって一方的に規定されるだけでなく，逆にこれらの社会や集団にはたらきかえしていくことによってもまた自己を形成していくものである。マルクス主義は，人間は社会的存在に規定されつつも，またそれを前提とし，条件としてそれにはたらきかえしていくなかで，とりわけ，目的意識的な社会変更の実践のなかで自己形成をとげていくものとみる。

　このような見地にたつと，人間は社会によって統制される客体として形成されるばかりでなく，社会そのものを統制していく主体として自己を形成するものである。人間の社会化は社会にたいする人間の適応ではあるが，それは同時にまた人間による社会の変更，社会の人間化でもある。その意味では人間の社会化は，人間の社会への一方的順応ではなく，

二重の社会化の弁証法的統一である。同様に，社会による人間形成も二重の形成作用の弁証法的統一である。

　人間はこうした二重の社会化，二重の形成作用のなかで，社会の人間関係や文化を内面化していくと同時に，それらにたいして意識的主体として対応するようになる。とりわけ，人間は社会にはたらきかけ，それを変更していく実践と認識のなかで，社会のなかに溶解していた自己をとりもどし，自己を社会に対する意識的主体として確定して人格となる。人格内部における超自我と自我との関係（フロイト），客体的自我(me)と主体的自我（I）との関係（ジェイムス，ミード），意識における社会の反映とそれに対する主体的態度との力動的関係（ルビンシュテイン）などは，実はこの二重の社会化，二重の形成作用の人間内部におけるあらわれである。

　人間はこうしたなかでみずからを人格としていくのであるが，その過程はそれほど単純なものではない。とくに労働と人間の疎外が社会的体質ともなっているような資本主義社会では，社会の人間形成作用は人間の人格的発達に否定的にはたらき，それを畸型化する。それは，一方では，人間的自然の社会的現実化をゆがめることによってそれを抑圧し，そこに心身医学的，精神病理学的な発達のゆがみやねじれをつくり出すと同時に，他方では，所与の社会への無批判的埋没を強制し，人格から目的意識性を剥奪する。

教育実践における集団　このような社会と集団の無目的的な形成作用に対して，人間は人間的発達を目的意識的に追求する作用を教育として対置し，それでもって社会の人間形成作用を統制しようとする。いやそればかりか，人間はそれをつうじて社会をも間接的に統制しようとする。この意味において教育は形成と区別されるものであるが，それでは，人間的発達を目的意識的に追求する教育実践は，集団や社会とどのような関係をとり結ぶことになるであろうか。

　すでにみたように，形成においては，人間は社会によって統制される客体として形成されると同時に，社会そのものを変更していく主体として自己形成をすすめるものであった。教育はこのような形成過程における人間の客体——主体というあり方を基盤としながらも，人間的発達を目的意識的に追求するという立場から社会統制，社会変更の主体として自己形成をすすめる局面を発展させていく。

　すなわち，教育はまず第1に，国家，職場，家などの社会生活，集団生活に対する人間の認識——要求——実践を組織しつつ，人間を社会統制，社会変革の集団的主体として発達させていくことを実践的課題とする。そうすることは，いいかえれば，個個の人間を権利主体として確立しつつ，同時にまたこれら集団の主人（主権者）として確定していくことでもある。もちろん，教育実践におけるこのような自治的集団の民主的形成の過程は一回かぎりのものではなくて，集団成員の自主的な意志決定にもとづくたえざる集団の民主的再組織化，再「契約」化としてあらわれる。このような過程をつうじて集団成員は，この過程内にあらわれる集団の疎外状況を克服し，それを統制していく意識的な社会的主体として自己をたかめていく。このように教育は集団の民主的形成に集団成員を組織することによって，集団の無目的的な形成作用を目的的な教育力に転換させるのである。

　第2に教育は，国家，職場，家などの社会生活における個個人の現実的経験を前提にして，文化的価値の創造的継承を組織するなかで，学習集団をきずき出す。学習集団は個個人の思想・信条・表現の自由，研究・学習の自由という原則に立って，個個人の認識・表現をぶつかり合わせながら，現実的経験に内包されている社会的偏見とそこからくる人間相互間の隔壁をとり除き，人間を文化的価値の普遍性のもとに結集し，かつ連帯させる。こうした学習集団の中で人間は，その社会性をより開かれたものに発展させ，その意識的態度のなかにより普遍的なものを確

立していく。

民主主義と
人間性の開発

このように教育実践はその内部において民主主義的な自治的集団と学習集団を発展させていくことをとおして，社会の無目的的な形成作用に翻弄される人間を救出する。そればかりかそれは人間の社会化を目的的に組織化することによって人間の人格的発達を実現していく。

　こうした教育実践によって構築される民主的な自治的集団と学習集団のなかで，人間はまず第1に，前項で考察されたような人間的自然のうちに内在している諸潜勢力を社会的人間としての自己のうちに現実化し，それらを自分自身の意識的統制のもとにおくことでもって人格となっていく。第2に，人間は個人個人の固有の社会化と発達の歴史をとおして，人格の個人的特性をつくり出して個性を獲得する。第3に，人間はその社会化のなかで自主的に選択していく社会的位置と役割に応じて，またその目的意識的な社会的行動に応じて人格を獲得していく。人格は社会的，歴史的に意義あるものを自主的に選択しているとき，その個性のうちに普遍的なものをあらわしているとき，そしてその目的意識性のもとにかれの能力を統轄しているとき，それはもっともきわだったものとなる。人間はその社会的人格を発展させることをとおしてその人間性を無限に開発していくのである。

　しかしながら，このような人格発達を追求する自治的集団と学習集団の形成は，通常，現実の社会的文脈にあってはそれを支配する権力的関係の破棄なしには不可能である。だから教育実践は，人間の人格的発達を保障していくために，現実社会の権力の関係から相対的に独立した場，すなわち教育的自律性に立つ場を要求する。それが家庭であり，子ども仲間の集団であり，学校であり，自主教育のためのサークル・団体である。もちろん，これらの教育的自律性にもとづく集団は，絶対的なものとして観念的に与えられるものではない。そのような集団的な場は，人

間の全面発達を希求する民主的な人民の力によって維持されるものであり，それにかかわるものたちの力によって発展させられるものである。

◈参考文献◈

◇デュルケーム，E.『教育と社会学』（田辺寿利訳）石泉社，1954 年
◇同『道徳教育論』1・2（麻生誠也訳）明治図書，1964 年
◇マルクス・エンゲルス『ドイツ・イデオロギー』（邦訳多数）
◇マルクス，K.『経済学・哲学草稿』（邦訳多数）
◇宮原誠一『教育と社会』金子書房，1949 年
◇矢川徳光『マルクス主義教育学試論』明治図書，1971 年
◇フロイト，S.『自我論』〔改訂版〕（井村俊郎訳）日本教文社，1970 年
◇ジェイムス，W.『心理学』（今田恵訳）岩波文庫，1939 年
◇ミード，G. H.『精神・自我・社会』（稲葉三千男他訳）青木書店，1973 年
◇ルビンシュテイン，C. Л.『心理学』上・下（内藤耕次郎他訳）青木書店，1961 年・1970 年
◇全国生活指導研究協議会編『学級集団づくり入門（第 2 版）』明治図書，1972 年

3 文化の学習と発達

学習理論　前節でのべたように，教師のしごとである教育実践は，人間存在の本質であるその二重の社会化過程を基盤としながらも，その能動的，発展的な側面を目的的に組織している点に，同じように人格形成ではあっても，単なる形成とはちがった特質をもつ。ところで，人格のこの社会化の過程は，制度，集団，モラル，概念，知識，芸術的形象など，広い意味での文化遺産の選択的な学習の過程である。ここでは，この学習活動がどのようにして成立するかについての主な理論を要約しておこう。学習理論は刺激反応学習，概念的思考，問題解決など有機体のおこなう種々の学習（learning）を研究対象にして，それぞれまたはそのすべてが，いかにしてどのような条件のもとで成立するかについて統一的な説明を下そうとする。

(1)　連合説　　広義に連合説とよばれているものには，ソーンダイク（Thorndike, E. L.）による「結合説」とパブロフ（Павлов, И. П.）の「条件反射説」の2つがある。学習を刺激（S）に対する有機体の要素的な反応（R）としてとらえる点に特徴をもつ。ソーンダイクがそのS－R理論のヒントをえたのはソ連の脳生理学者パブロフからであるが，ただこのとき，刺激と反応との間を全くのブラック・ボックスとみるか否かによって両者はちがってくる。いずれにしてもこの理論からは，練習や

教師の指導性を重視する考え方がでてくる。

　(2)　認知説　ゲシュタルト心理学にはじまり，そのごピアジェ (Piaget, J.) やブルーナー (Bruner, J. S.) によって，さらに他方ではソ連のヴィゴツキー学派によって，それぞれの哲学的立場から発展させられたこの理論は，「場の理論」,「洞察説」ともよばれる。学習は刺激に発する認識を媒介にして成立するが，このとき，その認識は外界からの刺激に対する要素的で機械的な反応というかたちで成立するのではなく，全体的な刺激つまりその形態（ゲシュタルト）に反応し，かつその間で有機体によって濾過されるとみる点で(1)とちがってくる。有機体によってえらばれ再構造化された限りでの刺激が反応をよびおこし学習の成立を導くとする。子どもの主体的な参加なしには学習は成立しないという知見がここからでてくる。

　ただし，ヴィゴツキー学派は，たとえばガリペリン (Гальперин, П. Я.) の「内化」の「統制」という考えにもあらわれているように有機体の内面の契機を考える点ではこの認知説に入るが，その外からの「統制」が計画的に可能とみる点では(1)の影響がつよい。

　(3)　精神分析派の学習理論　この理論はいっぷう変っていて，幼児期の体験（学習）がそこなわれないまま一生続くというのである。この考え方でいくと，人間は一生のうち1回だけしか学習しないということになる。前者とちがい，情緒や感情が学習の成立にあたって重要な役割を果たすとみる点にも特徴がある。

　これらの学習理論は，人間に限らずすべての有機体について，また個個の学習課題にかぎらず学習課題一般について，さらに学校や家庭にかぎらずあらゆる場面においておこりうる，すべての学習を統一的に説明しようとする。ところで教師の教育実践は，文化遺産の伝達，集団づくりなど，いずれのばあい（19世紀以来の教育学の用語によれば，「教授」Unterricht, instruction または「陶冶」Bildung,「訓練」Zucht または「訓

育」Erziehung, education, さらには「養護」Pflege）とも，広い意味では
この学習の指導である。それゆえ教育学は，19世紀の誕生のとき以来，
学習心理学と深い関係をもってきた。けれども，学習理論が一般性をめ
ざすものであることは，これを教育の理論として考えていくうえでの困
難点の遠因となる。たとえば，教育で問題になるのは文化一般といった
学習課題，有機体一般といった主体についての学習理論ではなく，10歳
児の学習理論であり，喜劇というテーマの学習理論である。一般理論は
ここで個別問題への適用を要求されるが，その適用の過程は常識で考え
られるほど単純ではなく，むしろその部分こそが教育の理論としては中
枢の部分になる。この難点をどう打開していくかが，「教育の学習理論」
ともいうべき両者の境界領域学の課題になっている。

学習の理論と
教育の理論
しかし実際には，教育実践が子どもの発達に果たす役
割をどうみるかの問題にたいして，学習の理論が影響
を与えてきたことは否定できない。まえにのべたよう
に，(1)の結合説からは練習効果や教師の指導性を強調する考え方がでて
くる。(2)に従えば，教師の指導性をみとめるとしても，その指導力は，
学習の当事者である子どもの発達，しかもかなり固定的に解されたその
段階を通してしか機能しないことになるし，(3)の考え方にいたっては，
存在するものは人間の側からみると偶然だけで，すべては不可知なるも
のということになる。まえにものべたが，こうして，じつは教育実践の
発達に果たす役割に関しても，下記のようなオプティミズムからペシミ
ズムにわたるおよそ3つの考え方が提起されてきた。

(1) 人格・能力の発達は，条件さえみたしておれば教師のしごとによ
って積極的に推進されるとする教育論。系統的教授論や集団主義訓育論
を裏づけたこの教育論について，たとえば「最近接領域」論の提起者で
あるヴィゴツキーはこうのべている。

「（教師の役割を否定していたのでは）教育によって活発化するはずの

機能の発達や成熟の過程において教育そのものがどのような役割を果た
すかということに関する問題提起のあらゆる可能性は失われてしまうの
である[1]。」

　(2)　発達即教育とする教育論。デューイの教育論がその代表例である。
かれはのべている。

　「教育は発達である，といわれるならば，その発達をどのように考える
かで，すべてが決まってくる。われわれの正味の結論は，生活は発達で
あり，発達すること，成長することが生活なのだということである[2]。」

　この論法でいくと，教育実践のサイクルはつねに発達のサイクルと共
にあるべきだから，学習指導は子どもの思考や判断の展開過程に融合し
ておらねばならず，教師の仕事は子どもの経験の交通整理だということ
になる。

　(3)　子どもの発達は教育実践とは無関係に内的で先天的な力によって
進んでいくものだとする考え方。教育実践のサイクルは発達のサイクル
のあとからこれをなぞっていくだけだということになる。

　発達と教師のしごととの関係についてのこれら3つの理論は，じつは，
教育実践と形成の関係をめぐる認識の違いに対応している。この点につ
いては，両者の区別を認めたうえで後者を優位とする「再分肢」説とこ
れに異議ありとする「独自性」説とがある。再分肢説によると教育は政
治，経済，文化諸分野にわたる社会諸集団のもつ人格形成作用の「再分
肢」だというのだから，発達における教師のしごとの役割はどうしても
軽くなる。しかしこの再分肢は，既成の教育制度や方法をゆさぶり考え
直していくうえには力となるのであって，いちがいに教育否定の思想に
属するものとはいえない。それにこの説の方が，教育学の総合科学とし
ての性格をうまく説明できるという事情もある。

発達と文化的価値　　前述のように，学習理論にはいろいろのものがある。
しかし，現在の段階では，そのどれも，すべての学

習現象を完全に説明しきることはできない。宮原誠一，勝田守一のあいだに交わされた再分肢－独自性論争についても，決着がついているわけではない。同様に，いろいろある教育論も，教育によるすべての発達現象を説明しきれない。どれが妥当かは，子どもの発達段階によって違うだろうし，他方では教材（subject matter）の素材となる文化の違いによっても変ってくるだろう。コール（Cole, M.）らは，アメリカの白人とイベリアの原住民に対してピアジェの同じ推移律の課題を異なる2つの様式を用いて解かせたところ，一方では後者の成績が大へん悪かったのに他の様式によるとその差は殆どなくなったという実験を報告して，これは課題を提示する様式の文化的特質が成績に作用することを示唆するものであるとのべている[3]。同じ課題を違った教材でテストしたところ，「劣等生」がなくなった例，さらには優劣の順が逆になった体験などは，日本の教師の間でも知られている。

　ここでとくにのべたいことは，この文化の違いに関する問題の方である。これまで，子どもの発達の段階が教育の効果に対してもつ規定性については比較的考慮が払われてきた。そのわりには，教材の文化的特質がもつ規定性については関心が薄かったのである。このことは，教材づくりにあたって発達段階（developmental stage）が考慮されることがあったとしてもその発達段階は子どもの属する民族や階層の文化的脈絡（cultural context）との関係でとらえられず，このような意味での発達論を基礎とする教材づくりや学習形態の研究が決定的に欠けていたということでもある。ソーンダイクらの転移（transfer）の研究は，教育効果の研究を科学的ベースにのせたものとして著名である。しかしかれの実験は，既成の教材をつかって学力の転移の存否に関する心理学的実験をほどこしたものであって，その前提になっている教材そのものの転移への影響についての考察を行ったものではなかった。これらのことは，発達研究が教育課程（curriculum）を取扱う教育学の側から本格的に研究

されてこなかったということである。

このような発達研究史への反省の上に立って，最近その再出発の動き
が表面化してきている。ブルーナー（Bruner, J. S.）は，心理学者たちの
教育課程問題への関心の再燃についてのべている[4]。それは，前世紀末
のソーンダイクの時代のものとは違って，所与の教材の枠内ではなく，
教材の構造（structure）に着目して積極的に新しい目標と教材を開発し
ていこうとするものである。ここには，学習による人間発達を，文化的
価値の探求のしごとと切りはなさずに研究しようとする方法が成立して
いるといえる。同様の研究は，日本でも，民間運動に参加している教師
と研究者の間で行われており，ここから発達と教育に関するふところの
より深い理論の育ってくることが期待される。

発達の社会科学　ところで教育実践は，科学や技術の力を使っていつ
かは自然の力を全くしりぞけ，人格の発達と人間の
学習活動を思いのままに設計できるようになるかもしれない。しかし，
こんどは，その教育を計画すること自体が思いのままにならぬようにな
る。もともとは人間のために発案された教育制度と技術が，逆に人間に
刃向ってつくりだしている今日の教育による "発達のゆがみ" と "教育
貧乏" の状況は，まさにそれそのものである。この問題は，教育の社会
的被拘束性，教育の歴史性といったいい方ではやくから気づかれ，問題
にされてきた。そして問題のこの側面を研究するために，教育の研究
を社会科学の方法論を使って進めていこうとする教育学は，日本でも外
国でも幾回か試みられた。第2次大戦後の日本ではとりわけ教育社会学
（sociology of education, educational sociology）のかたちをとり，社会学
の一部門として発展させられた。社会問題化した現代の教育問題に教育
学として対処できるためにも，同じ問題を教育学の文脈でも考えてみな
ければならない。くわしくは次章でおこなわれる。ここでは，教育とい
う発達の世界をつくりだそうとしている人間の実践が，経済機構や政治

社会も含む全体社会につながり，教育実践の被拘束性が問題になってくるときの結接点を，大きいところでおさえておくにとどめよう。

　結接点は2つある。そのひとつは，子どもは社会に直接くみ込まれているのではなく親に保護されているとしても，じつはその大人に保護されているという形態をつうじてそれなりに，大人たちの地域の社会関係，所属階級，職業上の志向等を背負って教育の場面にあらわれてくるという形態。子どもを通じて，社会が，学校や幼稚園や職業訓練所等々に，いわば踏みこんでくるという形態であり，こうして学級は，たとえばウォーナー（Warner, W. L.）らがアメリカの学校をモデルに明らかにしてみせたように5)，地域社会の支配 - 被支配，所有 - 非所有関係の縮図となる。教師はそのさなかにあって，どの階層のさし出す価値をえらび，この人間関係をどう発展させるかということとの関係なしに，本来の目的である発達の世界への扉を開くことはできない。この問題を学校に関して研究したレポートの多くは，教師の選ぶ価値尺度の多くが中産階級の価値観に傾いているとしている。たとえばこういうものが，教育と社会の，この結接の構造についての考え方のひとつである。

　しかし，教育と社会の結接の構造は，このような側面だけでみていたのでは，事態を全面的にみたことにならない。第2の結接点は，教師の教育実践によって発達の世界へと拓かれる文化遺産のもつ社会性から発生する。もろもろの社会集団は実は文化の組織的側面であり，それゆえ文化を教えるということは，実は国家を教えることであり，産業組織を教えることであり，世界や地域集団を教えることである。子どもは文化を学ぶことによって自らの人格と能力を発展させているだけでなく，実はさまざまの社会関係と集団を再生産し発展させているのである。母国語のひとつ，数式のひとつを教えることによって，教師は実は国家や世界を再生産し，あるいは新しくつくる。このたびは，子どもではなく何を教えるかを通じて，そして社会の方が教育の領域にではなく逆に教育

の方が社会の各領域に，いわば割り込んでいくことになる。この事態は，政府・労働組合・財界・地域名望家層など，大小の社会集団の所有者にとって他人事ではない。前節でも一言したがこうして教師の教育実践の世界は，文字通りの高次の政治の活舞台となる。

　学校が中産階級寄りになったり学校による人格の疎外，精神の貧困化が進んでいるといった現状の指摘も，実はこの舞台でなにがおこなわれているかということと切り離して論じきることはできないのである。2つの結接点は，うらおもての関係にある。第1の点を考慮に入れながらも，問題を第2のサイドから解決していこうとするのが，教育学の立場である。

1)　ヴィゴツキー，L. S.『思考と言語』（柴田義松訳）明治図書，1962 年。

2)　デューイ，J.『民主主義と教育』（松野安男訳）岩波書店，1975 年。

3)　Cole, M. & Others: *The cultural context of learning and thinking ――An Exploration in experimental anthropology ――*1971.

4)　ブルーナー，J. S.『教育の過程』（鈴木祥蔵・佐藤三郎訳）岩波書店，1963 年。

5)　Warner, W. L. & Others, *Who shall be educated* ? 1944.

◉参考文献◉

◇デュルケーム，E.『教育と社会学』（田辺寿利訳）冨山房，1938 年

◇勝田守一『人間形成と教育』国土社，1972 年

◇遠山啓『数学の学び方・教え方』岩波書店，1972 年

◇吉田章宏『授業の心理学をめざして』国土社，1975 年

II 教育の計画化

1 教育計画の思想

教育問題と教育計画　　教育は、現代社会にあってはひとつの巨大な制度であり組織である。公教育（public education）に例をとれば、それは、緻密な法制と巨額の公費によってささえられており、公教育の主体たる国家の一定の教育政策によって方向づけられている。私たちが、教育を事実にもとづいて考察しようとすれば、教育の制度的側面の分析を教育の本質究明と切りはなすことはできない。

　制度は、一般に、社会的意思の形をとって現象する、一定の社会的諸勢力の特定の意思の目的的計画化の所産である。社会的諸勢力のなかに一定のバランスがあたえられ、社会が静態的に推移する時代には、社会制度は旧来のもののくりかえし（たとえば、慣習や習俗をみよ）によってたもたれている。しかし、いったん社会的諸勢力の均衡がやぶれ、社会的諸勢力の特定の意思の本質があきらかになると、かならず制度はそのあり方を問われ、制度の硬直した側面が批判され、制度の人間疎外の役割が指摘されて、あらためて制度の目的が問われはじめる。

　同様に、静態的な時代には教育も静態的にいとなまれており、教育の目的がとりたてて問われることはなく、その計画化が意図的にはかられることもないが、社会の教育要求がたかまり、現存する制度としての教

育が学習主体としての子ども・青年の発達を阻害する状況のあらわれた
時，教育制度はあらためて問われはじめる。教育が社会問題化するのは，
そういう時代である。教育制度と教育要求の矛盾が教育の社会問題化の
基本的要因なのである。

　現代国家社会は，この矛盾を解決するために，たえず，教育と社会の
関係を再調整しようとする志向をもっている。現代国家社会は，社会に
内在する教育要求を測定し，それにそくして教育制度を改変していこう
とする。ここに教育計画（educational planning）の成立する根拠があ
る。

　もし科学的な見通しに立った教育計画にささえられることなく教育政
策（educational policy）が恣意的にすすめられれば，その政策はかなら
ずや空疎で非現実的なものとなるであろう。そこで，現代社会において
は，制度としての教育の組織化の基底に，一定の教育計画がおかれるの
がつねとなる。社会問題としての教育問題を教育計画によって解決しよ
うとする現代国家社会の志向は，社会を管理統制する技術の精緻化とあ
いまって，ますます高度に技術化されようとしている。教育と社会の関
係の調整が教育計画に期待されるからである。

　社会に内在する教育への要求や期待が単色で一元的にとらえられる時
代はそれでよい。しかし教育要求じしんが階級的に分裂していることが
ひろく認識されるようになるとどうであろうか。たとえば，現代社会に
おいて，社会の教育要求と等置されがちな産業界の教育要求が民衆の教
育要求と背馳することは，こんにち自明であろう。国家の教育要求と国
民のそれとが異なることが明白になった時，国家主導の教育計画の累積
的進行によって教育問題が解決できるといえるだろうか。

　教育と社会の関係の調整が教育計画によってはたしえなくなった時，
教育における転換が必然となる。教育の転換期がやってくる。それを私
たちは，教育改革とよぶ。

「学校と社会」の問題性　　教育がはなはだしく社会にたちおくれ、学校が社会からの要求に即さなくなっていることを鮮明にとりだし、教育と社会の再調整の必要を提起したのはプラグマティストのデューイ (Dewey, J.) であった。その処女作『学校と社会』(1899年) は、自らの教育実践にうらうちされた学校改革論であり、それは必然に社会の教育計画をもとめていた。

　デューイは、19世紀末の学校の「悲劇的な弱点」を「社会的精神の諸条件がとりわけ欠けている環境のなかで、社会的秩序の未来の成員を準備することにつとめていること」のなかにみた。デューイによれば、教育にとってもっとも根本的なことは、「社会生活が徹底的な、根本的な変化を受けたということである。もしわれわれの教育が生活にとってなんらかの意味をもつべきであるならば、それは同様に完全な変型をとげねばならぬ」。今日の学校には、そしてその成員のあいだには、なんら、共通の精神・共通の目的・共通の感情がない。今日の学校は、「自然な社会単位として自らを組織することができない」。その理由は、学校がひとつの社会でなく、そこに「共通の、生産的な活動という要素が欠けているからである」。教育は、ふかく社会によって規定されている。工場制度が成立する以前にも、公立学校制度はなかったが、形成としての教育はあった。家庭と近隣の労働のなかで、「物の役に立つように行動する人間が、行動そのものをとおして育成され、試練されたのである」。諸労働と近隣社会の諸々の教育的な力 (educational forces) がそこでは不断に作用し、社会にひそむ教育力が人間を形成していた。子どもを人間にまできたえあげ、ひとりまえにそだてる力を生産力の低い社会は、それなりに有していた。

　産業の集中と分業の一般化によって、子どもたちの身のまわりから労働が消え、地域生活がうすれていく。都市化と工業化によって、コミュニケーションは広域化し、子どもの人格 (personality) は変化していく。

その長所を保持しつつ，低生産力社会の人間形成機能を生かし，かつて
実社会で子どもが地域の生活と生産において身につけた「観察・創意工
夫・構成的想像・論理的思考，実地実物にじかに接触することによって
得られる現実感」「生活の物質的現実との関連において子どもを訓練す
るところの仕事」を学校にとり入れていくにはどうしたらよいのか。こ
こに，20世紀を目前にしたデューイの教育への問いの核心があった。

　そこでデューイは，たんなる知識の習得機関となっている学校へ批判
の矢をむける。デューイによれば，「たんなる知識の習得にはなんら明
白な社会的動機もないし，それが成功したところでなんら明瞭な社会的
利得もない。成功のためのほとんど唯一の手段は競争的なもの」にすぎ
ない。制度としての教育の当然の帰結である「書物学校」・「つめこみ学
校」は，子どもたちに暗記と復誦と試験と競争をもたらす。これが社会
の教育への期待なのであろうか。

　こう問うたデューイは，学校を「一個の胎芽的社会生活たらしめるこ
と」が解決の唯一の道だ，とこたえる。何故か。競争社会としての学校
も，「活動的な作業がおこなわれているところでは，すべてこれらの事
情は一変する」からである。「学校はいまや，たんに将来いとなまれる
べきある種の生活にたいして抽象的な迂遠な関係をもつ学科を学ぶ場所
であるのではなしに，生活とむすびつき，そこで子どもが生活を指導さ
れることによって学ぶところの子どもの住みかとなる機会をもつ。学校
は小型の社会，胎芽的な社会となることになる。これが根本的なことで
あって，このことから継続的な，秩序ある教育の流れが生ずる」。デュ
ーイにとって，学校は〈生活学校〉・〈労働学校〉でなければならないの
であった。

　そのために，デューイは，記号的・形式的な教科を第2次的地位に引
き下げ，活動的な仕事，自然研究，科学の初歩，地理，芸術，歴史など
に重点をおく教科の改造を提案し，規律などの改造，「自己指導」的要

素の活用を説いた。しかし，それは事理必然に，学校の改革にとどまり
うるものではなかった。書物学校の生活学校化は，教育目的についての
教師と民衆の合意にはじまり，その制度的保障，教科の生活化のために
学校と実生活を近づけることなど，学校をこえたひろい教育の改造のう
えにはじめてなりたちうるものであった。この意味で（デューイはその語
を使ってはいないけれども）『学校と社会』こそ，20世紀における教育計画
の思想の源流といえるだろう。事実，デューイを核とするアメリカ進歩
主義教育（Progressives）の流れのなかから，地域社会学校（Community
School）──地域教育計画のこころみがうまれ，日本の戦後の6・3制
の思想に流入していったのである。

「自由労働学校」の設計　まったくことなった立場から，デューイの主張
を注目していたのは『国民教育と民主主義』
(1917年)の著者クループスカヤ（Крупская, Н. К.）であった。

　クループスカヤはマルクス主義の立場から，現代学校の破綻をするど
く解明すると同時に，最先端の資本主義国では，「つめこみ学校」が「労
働学校」に変わりつつあることをもみぬいていた。クループスカヤはア
メリカの教育を「国民学校が子どもの労働適性を発達させるためにあら
ゆる努力をはらっている」「アメリカの学校で見られるような肉体労働
と知的労働との結合──肉体労働を鼓舞し知的活動を豊かにする結合，
知的労働に従事する白い手と肉体労働に宿命的な黒い手とに分ける社会
の分化をなくすための結合──を評価しなくてはならない」とした。そ
の底にアメリカ教育を支える自由と民主主義の精神，教育の住民統制の
機構の存在することも彼女は正当に指摘していた。資本主義的な「労働
学校」は，いうまでもなく，ひとつの歴史的進歩をしめしている。それ
は「つめこみ学校」に対するひとつのアンチ・テーゼであり，労働学校
づくりの態勢は，社会をあげての教育計画に他ならない。しかし，マル
クス主義者クループスカヤにとって，その限界もまたあきらかであった。

『国民教育と民主主義』の末尾は次のことばでしめくくられている。「学校事業の組織が，ブルジョアジーの手中にある間は，労働学校は，労働階級の利益に対抗して向けられている武器である。労働階級のみが，労働学校を〈現社会を改造する武器〉にすることができるのである」と。

　クループスカヤは，初期の論文「少年のあいだでの自殺と自由な労働学校」(1911年) で，少年の自殺の急増が「現代の学校制度全体の不適格性をこのうえなくみごとに描きだしており，その完全な崩壊をしめしており，まったく別な教育学的原理にもとづいて建てられた新しい自由な学校を創設することの必要を叫んでいる」と断定した。まったく別な教育原理に立つ自由な学校とは何か。

　クループスカヤは，教育の回復の可能性を，教育と生産労働との結合のなかにみた。1917年5月に発表された「地方自治体学校綱領」の中で，彼女はこうのべている。「すべてのものにとって，一つの共通な学校があって，それがすべての子どもを身体労働のためにも，精神労働のためにも，生活の理解のためにも準備し，かれらに知識の光を提供することが必要である。したがって共通な単一な学校において，教授が生産と，生産労働と緊密に結びつけられていなければならない」と。この新しい自由な労働学校のイメージが，革命後の「単一労働学校」の計画化へと発展する。単一労働学校は，単に子どもの個性をのばし，社会的本能をのばしていくだけの場ではない。単一労働学校は，託児所とも，保育所とも，博物館とも，図書館とも，農場とも，消費組合とも，各種の工場とも結びつくことによって，社会の教育力を不断に摂取し，たえずゆたかな人間形成機関たることがめざされたのであった。革命後のソビエト教育においては子どもの発達のために，学校と社会の結合の総合的な計画化が総合技術教育（политехнизм）の観点からはかられていくのである。

教育と社会の再調整 19世紀末から20世紀にかけて，まったく相対立する2つの立場——〝ラーニング・バイ・ドゥイング〟を標榜する進歩主義教育と〝生産労働と教育の結合〟を標榜する「総合技術教育」——から，教育の社会化を軸とする学校の改革が主張され，実践にうつされていったことは注目にあたいする。それは，知識の系統教授を基本任務とする学校が，新しい生産力段階からの社会的インパクトを受けて，社会的役割と，つたえるべき知識・形成すべき人格の内実の双方を問いなおされたことを意味するからである。ここに，教育と社会の再調整を意図的にはかる教育の計画化が意識されてくる。

1930年代から40年代にかけて，西欧社会の混乱と解体の中で社会の再建を思索しつづけたマンハイム (Mannheim, K.) は，〈新しい人間——新しい価値〉の創出を教育に期待し，民主的計画の技術としての社会的教育 (social education) による〈民主的行動様式——新しいパーソナリティ類型〉の創造を，教育計画の任務とした。マンハイムにとって，教育計画は民主的計画化の中軸をなすものだったのである。マンハイムは，人格対人格の影響を第一義におく伝統的教育を批判して社会的環境の教育的意義を力説した。そして，つぎのように教育計画の役割を指示し，社会の教育的機能＝社会の教育力の編成をつよくもとめた。

(1) 民主的整合化の明確化

(2) 人間行動の形成と改造の解明

(3) 民主的な行動と良心と人格の型式の解明

そのために重視されたのは，地域社会 (community) と集団の教育的価値であった。マンハイムによれば，伝統の破産，家など第1次集団の解体，伝統的教育の破綻の現代的状況にあっては，自我の安定に資し民主的人格の定着をはかるために，新しい教育力が教育社会に汲み入れられなくてはならない。かくて，マンハイムにとっては，伝統的教育の改革，学校教育と学校外教育の統合，社会活動と教育活動の再編，地域社

会と教育の再調整が課題となった。「われわれは 人間を永遠に学習する
ものととらえている」とマンハイムはのべて,「継続教育」(continued ed-
ucation) 概念の定着化に期待した。彼はのべている。「教育施設はいま
や, 人々の継続的学習の願望をみたすことができるように, 保育所から
初等教育, 中等教育, 職業教育および成人教育の制度に至るまで設置さ
れている」「継続教育は, 当人の専門分野における新しい発見を知りた
いという一般的欲求と同時に, 広く世界の一般的な方向づけについての
普遍的欲求をみたすものである」。この発想は, こんにち喧伝されてい
る生涯教育論 (llfelong integrated education) の思想の源流といってよ
い。この考え方に立つ彼は,

(1) 新しい人間類型を準備する現代学校論
(2) 継続教育の体系化
(3) ユース・サービス, コミュニティ・センター, 地域ヘルスセンタ
ーなど社会的教育施設の重視
(4) 成人教育と大学改革の結合

を提案している[1]。

　以上を約言すれば, マンハイムは, 1930 年代から 40 年代にかけての
西欧社会の解体的危機を民主的計画の名による社会技術によって再建す
ることを志向し, その根幹に教育と社会の再調整をはかる教育計画論を
おいて, 民衆の民主主義的な人格の集団的形成という明確な目標を設定
した。そして, 現代学校論と社会的教育論にもとづいて〈学校教育と学
校外教育〉〈青少年の教育と成人教育〉を再統合し, 知識の統合を民衆
レベルではたそうとしたのである。したがってマンハイムの教育計画論
は, 生涯教育論の先駆となった。

1) マンハイム, K.『自由・権力・民主的計画』(池田秀男訳) 未来社, 1971
年。

◙参考文献◙

◇デューイ，J.『学校と社会』（宮原誠一訳）岩波文庫，1957 年

◇クループスカヤ，H. K.『国民教育と民主主義』（勝田昌二訳）岩波文庫，
　1954 年

◇同『生徒の自治と集団主義』（矢川徳光訳）（同選集第 1 巻）明治図書，
　1969 年

◇同『社会主義と教育学』（矢川訳）（同選集第 5 巻）明治図書，1972 年

2 現代教育計画論の登場

現代教育計画論の特徴 1950年代後半，社会主義圏の科学技術教育の進展と国家独占資本主義諸列強間の競争に促迫されて成立した人的能力開発政策（manpower policy）は，先にみた，20世紀初頭いらいの教育と社会の再調整のさまざまなこころみを，国家独占資本主義段階の生産力の最高の発展段階において総括するものであった。人的能力開発政策は，教育計画論の系譜のうえでは，長期総合教育計画として位置づけられよう。その主張者たちは，自説を従来の諸計画論と区別して全くあたらしい現代教育計画論と自称した。以下，その主張を瞥見してみよう。

現代教育計画論の特徴の第1は，教育計画の出発点を，高度に発達した国家独占資本主義段階の産業上の要求——いわゆる「社会的要請」におき，経済計画に教育計画を従属させるところにある。社会的要請とは，端的にいって，産業界の労働力要請に他ならない。現代産業界の労働力構成にみあう労働力調達のメカニズムに教育がいかに合理的に奉仕するよう体系的に整備されうるかが，現代教育計画論の至上の課題となる。1957年のスプートニク・ショックに発する社会主義の生産と教育の計画化からの脅威に対抗し，他方，資本主義諸国家間の国際競争にそなえるための，国家経済における人的能力の意義の再確認のうえで，人間能

力のより適切な開発，もしくは配分をもとめて教育の量および質を規制
し，計画化しようとする考え方が人的能力開発政策であり，それを計測
技術的にうらづける任務が現代教育計画論にあたえられたのである。

　現代教育計画論の特徴の第2は，教育計画の国家主導的性格・国際的
性格である。計画の主体は，社会的要請を一元的に計測し把握しうる国
家であり，経済成長を主導しうる国家のみが教育計画主体たりうる，と
される。しかし，そこにとどまることはできない。はげしい競争を内包
しながらも，〈組織された資本主義〉としての国際機構（EC, OECD など）
や地域的連合体が国際的教育計画主体として登場することが期待され，
教育計画主体の国際化・広域化がもとめられる。

　現代教育計画論の特徴の第3は，教育計画の総合化にある。論者は，
つねに，経済発展の計画化が教育の計画化のインパクトとなったこと，
教育の経済的価値の認識が現代教育計画の契機となったことを力説して
きた。従来の教育計画論とはまったくことなって，経済計画と教育計画
が一体のものとしてここでは説かれ，後者が前者の不可欠の構成部分を
なし，その一体の構図が国家の総合政策という形をとる。わが国におい
ては，1960年に発表された「国民所得倍増計画」がその嚆矢となった。
教育と経済が国家レベルで一元化されるとなれば，一国の教育体系は，
教育の外の客観的な産業の要求する能力に応じて多様化され，学校の種
類・形態も多様化され，産業の要求する能力別に生徒の学力が編成され，
その編成原理にしたがって教育の手なおしがおこなわれる，ということ
になる。現代教育計画論は，かくて産業界の要請にたいする能力按分の
技術計画を担当することになる。

　現代教育計画論の特徴の第4は，教育計画の技術化である。論者は在
来の諸教育学説を社会から遊離した理念論・観念論としてこれをしりぞ
け，従来の諸教育計画論をも計量にもとづいた予測の不在の思弁と断じ
て，経済成長の予測と労働力構成の計量から教育計画のための計測可能

な技術的基礎がえられると揚言し，現代教育計画の〈技術の体系化〉を主張する。そこから，「教育計画とは 量的に表現された 教育政策の目標を達成するための手続の総体である」[1] との定義が引きだされる。計画の技術化によって多様な社会的要請の精選と総合化，雇用政策と文化政策の行政的調整，そのうえでの長期的な計画目標の設定が可能になる。そこで，現代教育計画論は，長期総合教育計画たりうる，ということになる。

その帰結 右のような特徴をもった現代教育計画論は，現代の生産力水準にみあわず，それを推進するに足らない旧い型の教育を改革する原理として提出されたものであった。旧い型の教育と現代技術革新のギャップはあきらかにひとつの教育問題であり，それを解決するために新しい教育計画論が登場したのである。しかし，右にあげた4つの特徴は，ただちに教育の世界にあたらしい教育問題を発生させずにはおかなかった。第1に経済教育の教育計画への従属は教育の世界で蓄積されてきた教育的価値の否定をうみだし，第2に計画の国家主体説は計画の主体をめぐる教育権論上の疑問をうむことになり，第3の総合性は現段階の労働力構成に能力別学力構造をマッチさせることになり，第4の技術化は計測万能論への不信をうみ，これらの帰結として，教育界に国家主義と能力主義を導入する結果となったのである。

教育計画と教育的価値 20世紀初頭に，教育問題の社会化に対応して，その解決のために教育と社会の再調整をもとめる考え方がうまれてから半世紀以上をへて，私たちは，今日，現代教育計画論の廃墟の上に立っている。その破産の教訓は，教育問題の解決のために構想されたものが，子ども・青年の学力と人格の分裂を結果したという一点にある。教育問題の解決をもとめて教育疎外におちいった現代社会のジレンマから私たちがぬけだす道は，どこにあるのか。

そのたしかな1つの道は，教育要求の分析にあるだろう。現代教育計

画論は，産業界からの教育への要請を社会的要請と安易に等置した。社会的要請とは，特定の社会における一定の社会的勢力の特定の教育意思であり，階級対立を社会構造の深部にもつ現代社会において無限定・無前提に教育への社会的要請を論ずることはできない。わが国に人的能力開発政策が具体化された時点は，産業界の教育への要請，すなわち，経済成長に資する労働力養成への絶対的要請と，民衆の教育要求とが同時にあい応じてたかまった時代であった。しかし，前者の労働力急増対策となって現われた教育への社会的要請と，後者の歴史的背景をもった生存権に根ざす教育文化要求を混同することはできないはずであった。民衆の教育要求には，本源的な教育的価値が内在していたからである。

　教育的価値の特徴は，なにかができることの社会的な有用性を問題にするのではなく，社会のなかでなにかできることの「自覚的発達可能の程度」を問題にし，かつ，これを，人権にかかわることとする点にある。このことについては，I章でのべたところである。それが，能力の按分技術とあいいれぬことはいうまでもないであろう。かつて勝田守一は，時代をこえて教育に人類が期待してきた文化の伝達と創造を軸とする人間の発達と成長を，「教育の目的的規定」としたことがある。民衆の教育要求の底には，個々にみればさまざまな偏りがありながらも，この目的的規定の実現への熱い志向が歴史的にながれてきた。20世紀初頭以来の統一学校運動や，〝すべてのものに中等教育を〟(secondary education for all) とのスローガンはそれをしめしている。だが，この規定はけっして直線的には実現されず，現実の制度としての教育は，民衆の教育要求を抑圧したり，部分的に譲歩するにとどまってきた。この現実の教育と社会の関係（勝田のいう「教育の社会的規定」）を冷徹にみすえつつ，民衆の教育要求の核心に新しい社会勢力の教育意思をみいだし，そこに依拠して「教育の目的的規定」の実現をはかっていくところに，今日の教育計画論の最大の課題があると考えられるのである。

1)　清水義弘『教育計画』第一法規出版，1968 年。

◈参考文献◈

◇藤岡貞彦「現代資本主義と現代〈教育計画〉論」『講座現代民主主義教育』
　第1巻，青木書店，1970 年

◇勝田守一「教育の概念と教育学」『教育学』青木書店，1958 年

3 課題としての教育の計画化

**ランジュヴァン
計画の思想**

　産業界からの教育要求を社会の教育要求と等置すれば，そこに生ずるのは教育における能率主義・能力主義である。強権をもってこの非教育の論理をつらぬこうとすれば，教育における国家主義が発動せざるをえない。70年代後半から80年代にかけての わが国の現代教育界の 最大の課題は，この2つの論理に立つ現代教育計画論にいかなる教育的価値を対置し，それをいかに計画化して新しい制度構想にまで定着させうるかにあるといっても過言ではない。

　そこで想起されるのは，現代教育原理の出発点ともいうべき，第2次大戦後各国ですすめられた教育改革の国際的な原理である。いまその典型としてフランスで教育再建の原理として提起されたランジュヴァン＝ワロン計画 (La Réforme de l'Enseignement.—Projet soumis à M. le Ministre de l'Education Nationale——par la Commission Ministérielle d'Etude.——1947 年答申) をとりあげてみよう。その「序説」には，

1.　正義の原則
2.　社会的なあらゆる種類の仕事の平等
3.　完全な教育をうける万人の権利
4.　能力の正しい発達と利用のための指導の原則

5.　勤労者育成の原則と人間教育の調和

6.　卒業後の民主教育継続の原則

の6つの原則が列記され，教育機構の改革が，「民主政体において根本的なものである正義の原則にこたえるために」こそはかられるべきことが明示されている。「教育は万人に発達の平等な可能性を提供し，万人に教養への到達の道を開き，国民全体の教養水準の絶えざる向上によって，みずから民主化されなければならない。教育の民主化により〈学校教育の中へ正義をとり入れること〉は，各人をその才能が指定する位置におくであろう」と「序説」はのべていた。この計画は不幸にして，フランスの文教府のとりあげるところとはならなかった。しかし，仏革命時代のコンドルセの教育理念に発し，1930年代の人民戦線内閣時代のゼー改革案などをへて反ファシズム統一戦線の主導するたたかいの中できたえられてきたこの教育思想は，戦後教育改革の国際的原理として今日も継承されねばならないいくつもの主題をふくんでいる。

計画化の主体　　その第1の主題は，教育計画の主体の問題である。ランジュヴァン=ワロン計画は，教育の民主化を教育改革の前提においていた。教育民主化の核心は，国民の教育権の自覚にある。「国民の権利としての教育権は，その理論的展開のうちに国民を主体とする，国民の事業としての教育の自覚をうながすものとなっている。その認識じたいが，教育的価値の発展をうながしてやまない世界史的動向のうちにふくまれたものである[1]」。今日の制度としての教育は，法と権力にささえられ巨大な教育財政をともなう，国家による国民の教育の体系として現象している。I章の3でのべたように，民衆の教育要求は，この教育体制の中で歴史的に提出され形成され，国家による国民の教育への民衆的抵抗の過程をへて，国民の教育権という法制度的表現を獲得した。教育の民主化とは，国家による国民の教育という国家独占資本主義下の社会制度を内側からほりくずす教育的自覚であり，国家によって

あたえられた教育目的にたいして，次代をになう子ども・青年を育てる
うえでの教育的価値をうみだす過程である。したがって教育の計画化を
問うものは，その主体を問い，国家による国民の教育の体系の中で教育
要求を提起しつづけてきた要求主体が，教育運動という形をとって要求
の自覚を深化する段階から一歩すすんで，自らの制度構想をもった計画
主体にまで成長していく過程に着目しなくてはならない。かつて教育行
政学者の宗像誠也は，「権力によって支持された教育理念」である教育
政策の対抗概念として，「権力の支持する教育理念とは異なる教育理念
を民間の社会的な力が支持してその実現をはかる場合に成立する」[2] 教
育運動という概念を設定し，国民の教育権の自覚化の過程を教育運動に
みた。これを教育の計画化の文脈におきかえるなら，個別の教育要求は
その実現をもとめて教育運動に組織され，要求の深化に応じて運動は教
育の計画化をもとめ，かつ，計画化の主体をうみだしていくということ
になる。それは，教育における主権者の形成の過程である。

計画化の目標　　第 2 の主題は，教育計画の目標の問題である。国家主
導の現代教育計画論は「能力按分の技術計画」であり，
技術革新下の労働力配分構造の創出を目標とした。これに対して，戦後
教育改革の国際的原理は，ランジュヴァン゠ワロン計画にいう「正義の
原則」にみられるように，たんなる教育の機会均等原則にとどまらず，
「万人に発達の平等な可能性を提供し，万人に教養への到達の道を開く」
ところにあった。現代日本の障害児(者)教育実践の一角から提出された
概念を援用すれば，それは，〈発達保障への道を万人に切りひらく〉とい
いかえることができよう。これは単なる権利上の問題ではない。

教育思想家たちは，人間の調和のとれた発達を，ある時は知的認識に
かかわって，またある時は生産労働と教育の結合にかかわって一貫して
主題としてきたのであった。今日，すべての子ども・青年の発達保障と
いわれる思想は，教育の歴史的過程による吟味をへた価値として自覚さ

れた教育目標であり，教育における能率主義・能力主義とは対極に立つ
ものである。総合的な教育計画がこの一点にむけて立案されるべきこと
をしめしたのは，「地方自治休学校綱領」(クループスカヤ，1917 年 5 月)で
あった。このテーゼは教育における住民統制の決定的意義を論じて，そ
れこそが「学校が成長中の世代の全面的発達という目的を除いて，どの
ような外部からの目的にも奉仕しないことを保障していくことができ
る」とのべていた。

　万人の発達保障の観点からみるならば，近代の教育原則とされる「能
力に応じて，ひとしく教育を受ける権利」(憲法 26 条)の考え方も一変す
る。とくに障害児(者)教育運動の中で立論されているように，「能力に
応じて」教育に差別がもちこまれるのでなく，「能力に応じて」手あつ
く発達の必要に応ずる教育こそがもとめられるのである。「発達のおく
れているもの，ハンディキャップを負わされたものこそが，いっそうゆ
きとどいた，いっそう長期の教育的配慮に恵まれ，その能力の開花のた
めの教育と訓練に十全の機会と手だてが保障されなければならない」[3]。

　　　　　　　　　　　　第 3 の主題は，民主教育継続の問題である。ランジ
生涯学習の体制
　　　　　　　　　　ュヴァン案は，卒業後の民主教育継続の原則をとく
にフランス社会の伝統に根ざす民衆教育 (L'éducation populaire) の振興
の問題として提起していた。従来，わが国においては，この問題は，社
会教育（成人教育・補習教育）の分野にもっぱらゆだねられてきた。し
かし，現代社会の特徴をなす大衆管理技術の肥大化によって大衆支配の
一形態たる生涯教育のシステム化が高唱され，次章に説かれるようにあ
らためて現代学校の性格が問われている段階において，民主教育継続の
問題は社会教育内部にとどまることはできない。学校教育と社会教育の
再編成問題として，学校教育と学校外教育の再計画化の問題として，青
年・成人の自己教育とその権利保障の問題として，総じて，生涯にわた
る学習の体制の課題としてあつかわれなければならない段階が到来して

いる。この次元では，日本社会特有の社会教育の概念の再吟味と学校の
固有の役割の再検討が不可欠となろう。

　いわゆる「学校教育」と「社会教育」の再編成に教育の計画化の眼目
があることは歴史的にも十分理由のあるところである。フランス革命期
の教育思想家コンドルセ（Condorcet, A. N.）の立案になる『革命議会にお
ける教育計画』（1891 年）は，小・中・アンスティテュ・リセの学校体系
4 階梯のいずれにも「公開講義」を義務づけ，民衆の「自己啓蒙」によ
る「市民化」を力説したし，学校・図書館・標本室等の公開を指示してい
た。成人たる民衆の自己教育組織化への援助が教育制度のうえで確固と
した独自な位置を占めるべきであり，その知的成長が公教育の担い手（教
育の主体）を形成していくという認識は，18 世紀のオーエン（Owen, R.）
いらいの歴史的なすぐれた教育計画のなかにかならずみいだされる。ラ
ンジュヴァン案が各師範学校および大学が教養の拠点たるべきことを
「民衆教育」の項でのべたこと，前出の「地方自治体学校綱領」が学校
を教育と教授の問題に関心のある住民のセンターとせよとのべて，学校
付設の住民講座を提案したことも想起される。少年期・青年期における
学校教育と学校外教育の再編成を意図的に計画化し，他方，成人期の教
育・学習を自己啓蒙・自己形成・自己教育の歴史的系譜のうえに位置づけ
なおしてみる課題――生涯学習の体制の計画化――は，〈学校と社会〉問
題や〈教育の社会化〉問題の今日的段階といっても過言ではないであろう。

**計画化の契機
としての地域**　　教育を極端な中央集権的権力支配から解放し，国家の
意志から教育を自律的なものとして独立させるメカニ
ズムは，コンドルセの教権の独立の思想いらいさま
ざまに構想されてきた。教育基本法 10 条が，教育行政 （educational
administration）と教育の分離，教育行政の地方自治の考え方でつらぬ
かれているのもこの系譜に属する。教育行政における地方自治から一歩
すすんで，地域を土台にして教育の住民統制にいたる道が，教育の計画

化のための装置として考えられる。教育要求を地域住民の意志としてとらえ，地域レベルで教育要求を統一し，その実現と行財政上の保障を国家へ要求しいく教育運動のメカニズムの創出が教育の計画化の今日的課題である。それは近年，後期中等教育の場で，高校増設運動として典型的にあらわれた。

　地域住民の教育要求は，さまざまな姿をとって，今日，地域教育運動を成立せしめている。そこでは，宗像のえがいた対抗図式——教育政策と教育運動——が，教育計画の実現をめぐる2つの力の対抗の図式に転化している。地域教育運動は，当初，個々の親レベルでの要求から出発するが，個々の教育要求の統一をもとめることによって，一定の地域教育計画を展望しはじめる。地域教育運動は，地域レベルでの公共化された教育要求を教育のシビル・ミニマムとおさえ，その実現を学習主体たる子ども・青年・成人の発達段階にそくして計画的にはかり，教育全体の地域レベルでの総合計画にまで具体化しようとするにいたる。教育権の自覚の端的な表現である地域教育運動は，教育にかかわる計画の全体像とその住民自治的運営をもとめる。教育・文化施設固有の自治，とりわけ学校自治固有の価値を守り尊重しつつ，父母住民が学校への批判と協力の権利を自覚しふかめ，教育要求を提起する時，教育行政における住民自治のメカニズムの創出と地域にひらいた学校の創出が課題とならざるをえないだろう。その総体を地域教育計画とよぶとすれば，それは，かつて日本にもあった地域教育委員会の公選と公開を土台とし，地域における教職員集団の努力を中軸とし，幅広い住民の参加と協力によってはじめて可能となる。父母住民の教育権の自覚，すなわち国民教育の主体形成は，このような過程をへてすすむのである。

　教育の計画化の役割は，国民の教育要求を科学的に見通し，計画的に組織するところにある。現段階でその契機が地域住民の教育要求の提出にあり，当面，その具体化が地域教育運動の中での地域教育計画の設計

にあるとすれば，私たちはあらためて，教育における地域の役割に気づかざるをえない。教育における住民自治の原理は，たんなる市民の行政参加論にとどまるものではない。かくて，私たちは，教育計画が地域に根ざすのは教育の本質によってであるという観念に到達する。

1) 五十嵐顕「現代教育史における民主主義教育の発展」『講座現代民主主義教育』第1巻，青木書店，1970年。

2) 宗像誠也「教育政策と教育運動」『現代教育学』第3巻，岩波書店，1961年。

3) 教育制度検討委員会・梅根悟編『日本の教育改革を求めて』勁草書房，1974年。

4 教育制度と法および教育費

教育の制度と法　　近代社会において，教育は一定の価値にもとづいて，一定の制度のもとに組織化されている。この組織化が，たえざる計画化の動態的過程の中でおこなわれていることは前節までにみたところであるが，歴史の一断面をとって静態的にとらえれば，それは固定した制度にみえる。教育の組織化の一定の段階を，われわれは，その時代の教育制度とする。現在，世界各国にみられる教育制度は，近代社会の各国の歴史段階にそくした所産なのである。

　教育制度とは，ひろく学校制度（学制）・教育機関（学校を中心とし，教職員組織・社会教育機関をふくむ）・教育行財政制度を指し，教育制度こそが教育法の主たる規律対象である，といわれる（たとえば，兼子仁『教育法』3頁，有斐閣，をみよ）。戦前日本においては教育と教育行政（educational administration）の区別がおこなわれず，明治憲法下の義務教育制度においては臣民の教育義務にもとづく国策原理が教育体系をつらぬく支配原則として存在していた。そこでは，天皇制から流れだす道徳支配と政治権力の合体（祭政一致）が特徴であり，教育制度にはいちじるしい前近代的要素がつきまとっていた。

　これにたいして，戦後日本においては，既存の義務教育制度が延長され，これが教育行政制度とともに，国民の教育を受ける権利の概念を中

核とする 20 世紀的公教育法の原理のもとに再編成されることとなった。前近代的要素をぬぐい去った戦後日本の教育制度の第 1 の特徴は，国民の教育を受ける権利を，国家社会が教育法とその執行過程としての教育行財政をもって保障するところにある。

現代日本において教育制度を支える法体系は，日本国憲法・教育基本法を最高法規とする 4 つの分野からなりたっている。

(1) 教育基本法規　　日本国憲法，教育基本法

(2) 教育行財政に関する法規　　文部省設置法，地方自治法，地方教育行政の組織及び運営に関する法律，私立学校法，義務教育費国庫負担法，へき地教育振興法，理科教育振興法，産業教育振興法など

(3) 教育制度に関する法規　　学校教育法，私立学校法，各級教育機関の設置基準，教科用図書検定規則と基準，社会教育法，図書館法，博物館法，文化財保護法

(4) 教育職員に関する法規　　教育職員免許法，教育公務員特例法，都道府県教職員定数条例，公立学校教職員勤務評定規則

一見すると，これらの法規はひとつの体系をなして，戦後日本の教育制度を支えているようにみえる。しかし，前節までにみたように，ここにも教育計画と同じように教育要求をめぐる社会矛盾の反映がみられる。4 つの分野において中心の位置を占める教育基本法は，理想主義的な戦後教育改革の理念を体現していた。たとえば教育基本法 10 条は，教育制度が中央集権的行政機構から解放されるべきこと，地方自治の原理にのっとって教育行政が行なわれるべきこと，教育は国民に直接責任を負って行なわれるべきこと，教育と教育行政は分離され前者の条件整備に後者はあたるべきことを明示していた。そのために，教育の民衆統制（popular control）の機構として教育委員会制度が実施され教育委員会法が制定されたのであった。それは，戦後日本の教育制度の民主化を支える必須のメカニズムと戦後改革期には考えられていたのである。

しかし，1950年代の改革の 退潮期に入ると 教育委員会制度への国家
権力からの不信はつよまり，ついに56年，教育委員会法は 廃止されて
公選制教育委員会制度は消滅し，かわって，「地方教育行政の組織及び
運営に関する法律」が制定されることとなった。この法律がはたして憲
法・教育基本法の理念に適合的か否かは議論ののこるところである。

このように，教育法の体系の中には一定の矛盾が内包されており，そ
の結果としての複雑な構造をもちながら法が教育制度を支えるというの
が，近代社会の教育のあり方の一般的な姿である。

では，法とならんで制度をささえるもうひとつの柱である教育費の問
題はどうであろうか。

教育費の意義 ごく概括的にいえば，教育費 (cost of education) とは
教育に必要な経費のことである。今日では教育費は空
気のように日常的な存在であるが，貨幣形態としての教育費は，主に貨
幣経済が発達し，労働力の育成を中心に教育需要が飛躍的に高まる資本
主義社会以降，しだいに普及してきた歴史的現象である。いかなる時代
にも人間の社会に教育という機能は存続しているが，それ以前の社会で
は教育費は必ずしも教育の絶対的条件ではなかった。しかし，資本主義
の発達につれ，教育が教育費によって媒介，規制，調整される関係はま
すます決定的，絶対的かつ広範となり，今日では意識するとしないとに
かかわらず，教育費は教育を根本的に規定している。教育認識にとって
教育費認識が不可欠なゆえんである。しかも，教育費は外見は人間の意
識とは無縁のような抽象的な貨幣であるが，実際には各時代でそれを支
出する個人，団体，階級などのさまざまの教育要求，教育理念を反映し，
それらを実現する物的手段として機能している。すなわち，教育費はそ
の財源の程度や支出の動機，方法いかんにより，教育の機会均等や教育
条件整備など外的事項を根本的に規定し方向づけるとともに，それを通
じて教育の内容や方法などの内的事項にまで大きな影響を及ぼしてきた。

とくに公教育費の場合,「公」の外被をかぶりつつ,　内実は教育財政を通じて国家権力の意図,　その根底にある支配階級の教育理念によって規定され,　しばしば真の公共性と鋭く矛盾する。

　ところで,　教育費の支出の対象となる教育・学習が権利として自覚され,　教育を受ける権利(学習権)が人間の基本的人権として,　さらにはそのなかでも中心的な人権として確認されつつある世界史的傾向のなかで(日本国憲法26条,世界人権宣言26条,児童権利宣言7条),　教育費は教育を受ける権利によって原理的に統制され,　その保障に必要な経費という性格をしだいに強めつつある。とくに,　公教育費の財源(主に租税)の源泉は国民所得であり,　そのほとんどは労働者をはじめとする勤労国民の労働の所産・結晶である(剰余価値説)という財源の本質を考慮するならば,　公教育費がそれを生みだす国民やその若い世代の普遍的な利益,　すなわち,　教育を受ける権利の保障のために還元される場合こそ,　公教育費が真の公共性を獲得する条件であるといえよう。公教育費は,　国民の学習権を生涯にわたり社会的に保障する教育条件の原基であり,　十分かつ自律的・安定的な財源確保と教育の本質に即した民主的な支出が必要である。

**教育費の範囲
と負担区分**

　教育費の範囲は,　教育の範囲をどうとらえるかにより異なるが,　通常は学校教育費を主に,　社会教育費,　家庭教育費にわたり,　例外的にこのほかに教育との関係が直接的でない経費を含めたり(例,企業の教育訓練費),　またはこれから除いたり(例,科学,文化,スポーツの振興費,退職金)することがあるが,　歴史的には教育費の範囲は拡大の傾向をたどっている。

　教育費は,　それを負担する主体のちがいにより私教育費と公教育費に大別される。私教育費とは,　私人(親や学校・塾などを設置する私人)または私法人(学校法人等)が教育に支出する経費のことであり,　家計支出教育費(父母負担教育費)と私立学校等教育費に分類できる。家計支出教育

費の種類は，文部省の調査項目によれば，公立小・中・高校の場合，学校教育費と家庭教育費に大別され，前者は直接支出金と間接支出金に区分され，直接支出金として教科学習費（教科書費，教科書以外の図書費，学用品・実験実習材料費），教科外活動費，保健衛生費，通学費（交通費，通学用品費），その他が，間接支出金として学校納付金（授業料，給食費，修学旅行・遠足・見学費，学級費，児童会・生徒会費等，ＰＴＡ会費，その他）と寄付金があげられ，家庭教育費は物品費，図書費，家庭教師・学習塾費，その他で構成されている（『父兄が支出した教育費』各年度）。国公私立大学の場合は学生生活費と表現され，学費（授業料・その他の学校納付金，修学費，課外活動費，通学費）と生活費（食費，住居・光熱費，保健衛生費，娯楽し好費，その他の日常費）に区分されている（『学生生活調査報告』各年度）。私立学校の支出科目の様式は，人件費，教育研究経費，管理経費，借入金等利息，借入金等返済，施設関係支出，設備関係支出，資産運用支出，その他の支出となっている（学校法人会計基準）。

　次に，公教育費とは，国または地方公共団体（都道府県，市町村・特別区。通称，地方自治体）が教育に支出する経費のことであり，国家教育費と地方教育費とに分けられる。地方教育費は，法令（地方自治法施行規則14条別記）により，教育総務費，小学校費，中学校費，高等学校費，幼稚園費，特殊学校費，社会教育費，保健体育費の「項」に区分され，このうち学校費は学校管理費，教育振興費，学校建設費の「目」に区分され，各「目」はさらに給料，需用費，備品購入費など17の「節」に細分される。

　教育費の各負担主体が法令に基づいて教育費を分担する割合を負担区分という。歴史的には教育費は膨張の傾向をたどるが，その過程は一般に私教育費が先行的にあらわれ，しだいに公教育費に転化し，負担区分に占める公教育費の割合，とくに国家教育費の割合が増大している。

家計支出教育費は，義務教育学校の場合，無償制の
家計支出教育費と 原則（憲法 26 条 2 項），授業料不徴収の原則（教育基
私立学校教育費 本法 4 条 2 項，学校教育法 6 条但書）により法的に制限
されているが，義務教育以外の教育機関（学校，保育所等）の場合，授
業料徴収が認められ（学校教育法 6 条），法的な制限はない。家計支出教育
費の実態は，義務教育学校でさえ，年間（1973 年度）に小学生 1 人当た
り 6 万 3,000 円（学校教育費 3 万 4,000 円，家庭教育費 2 万 9,000 円），中
学生 1 人当り 7 万 4,000 円（学校教育費 4 万 5,000 円，家庭教育費 2 万 9,000
円）にのぼり，このうち家庭教育費を除く学校教育費だけでも家計支出
の割合は学校教育費総額にたいし小学校 15%，中学校 17% を占めてい
る。義務教育以外の教育機関では，授業料（ひろく学校納付金）の徴収
が法認され，私立学校在学者が多く（幼稚園 76%，高校 31%，短大 91
%，大学 76%。1973 年度），しかも，公費助成の立遅れの結果，その学校
納付金はきわめて過重である。例えば，1974 年度の私立大学の学校納
付金 16 万 2,000 円は国立大学の 3 万 1,000 円の 5.2 倍となっている。
家計支出教育費は節約の幅が小さいため，低所得階層ほど負担率が高く
家計を圧迫し，また，金額が大きいため，低所得階層ほど教育の機会均
等は困難となり，教育の経済的差別の重大な要因をなしている。その対
策となるべき就学奨励制度も決して十分ではない。すなわち，要保護・
準要保護世帯（生活保護世帯またはそれに準ずる世帯）の小中学生には
教育扶助（生活保護法 13 条），教育補助（通称。就学奨励法ほか）の制度に
より，学用品・その購入費，通学交通費，修学旅行費，医療費，給食費，
学校安全会費が，盲・聾・養護学校の小中学部・高等部の児童生徒にも
類似の経費が（盲学校等就学奨励法），それぞれ無償給与され，高校生や大
学生には日本育英会の学資（奨学金）の貸与（日本育英会法），高校生の授
業料直接補助（都道府県条例）などがある。しかし，その実態は，支給率
が教育扶助 1.7%，教育補助 4.7%，育英会資金 2.1%（高校），12.2%

（大学）であるなど，人員，金額等に改善すべき点が多い。家計支出教育費の軽減が困難な背景のひとつに，教育を受けることによる文化的経済的利益に応じて教育費を負担すべきであるとする受益者負担主義の考え（例，中央教育審議会『今後における学校教育の総合的な拡充整備のための基本的施策について』1971 年）をあげることができる。しかし，教育の成果や利益は教育を受けた個人を通じて社会の利益にも転化するのであり，そのような教育の公共的価値は公教育費にこそなじむものといえる。

　私立学校が大衆教育機関であるにもかかわらず，多額の納付金を徴収している主因は，公費助成の立遅れにある。私大の経常費に対する国の助成は，公費助成運動を背景に，1970 年度によウやく発足したが，74年度に約20％にとどまり，76年度以後も2分の1以内と制限されている（私立学校振興助成法）。他方，国の助成措置の拡大にともない，立法措置や日本私学振興財団等による私学の国家統制の強化が問題となっているが，助成資金である公教育費の性格に照らし，「補助して統制せず」(suport but not control) の原則にしたがった助成がのぞまれる。

地方自治体の教育財政　教育財政とは，国または地方公共団体が，一定の教育政策に基づき教育条件を整備するため，公教育費の財源を確保し，これを支出・管理する活動の総称である。教育費の学校設置者負担主義の原則（学校教育法5条）に基づき，公立小中学校，幼稚園の経費は市町村，公立盲・聾・養護学校，高校の経費は通常は都道府県がそれぞれ負担するものとされており，自治体の教育財政の役割はきわめて大きい。ただし，公立小中学校の場合，設置者負担主義の例外が法令に数多く定められ，教科書費は全額国庫負担，教職員給与費（職員は事務職員，栄養士に限る）は都道府県負担（その半額は国庫負担），教材費は半額国庫負担，施設費は2分の1または3分の1の国庫負担，就学奨励費は半額国庫負担，校地費は人口急増地域に限り一部国庫補助とされ，これらを除く経費のすべてを市町村が負担する（義務教育費国庫

負担法その他の教育財政法)。

　自治体の教育財政は一般の予算制度(地方自治法9章など)に基づいて運営され，教育費の財源や支出項目も統一的に定められている(同法施行規則14条別記)。俗に教育予算とは歳入歳出予算のうち教育費に関する部分をいい，予算一般から独立したものではない。予算の発案権・執行権は首長に，その議決権は議会に属するが，特例として首長は教育予算案の作成のとき教育委員会の意見聴取が義務づけられており(地方教育行政法29条)，この点に旧教育委員会法が明記していた公選制教育委員会の財政自主権(予算案作成・送付権，執行権等)の痕跡がわずかに残されている。

　自治体の教育費の主な財源は，地方税，地方交付税，国庫支出金，地方債である。地方税は住民税といわれる都道府県民税，市町村民税その他であり，依存財源と異なり自治体の最大の自主財源であるが，国税と地方税の税源配分比率がほぼ7対3のいわゆる「3割自治」の現状にとどまり，教育費についても自治体独自の支出を困難にする要因となっている。地方交付税は，自治体の財源を調整し行政水準を一定に維持するため，基準財政需要額に基準財政収入額が達しない自治体に，その財源不足額だけ国税(所得税，法人税，酒税の32％)により補給される財源であり，教育費など歳出項目ごとに，測定単位(学校数，教員数，児童生徒など)×単位費用×補正係数の算式により基準財政需要額が算定されるが，地方交付税は一般財源(使途制限のない財源)であるから，その算定額がそのまま歳出項目ごとに支出されるわけではない(地方交付税法)。この制度も交付税総額の不足，教育費の単位費用の低さ等のため本来の目的は十分に達成されていない。国庫支出金(負担金，補助金，委託金，交付金)は，自治体の事務のうち国の利害や必要性に関係のあるもの等に国庫から支出される特定財源(使途制限のある財源。いわゆるヒモつき財源)であり，公立小中学校の経費については所定の負担区分(前述)と支出基準に基づ

いて国が支出すべき経費のうち，県費負担教職員給与費は都道府県に，教科書費を除くその他の経費は市町村に支出される。国庫支出金の支出基準（補助単価・面積・対象等）は概して低く，自治体は所定の負担区分を超過する経費負担（超過負担）を余儀なくされるなど問題が多い。地方債は自治体の借金であり，学校の用地取得や建築など一時に多額の経費を要し，将来長く住民の福祉に役立つような事業の財源は主に地方債によるが，国の許可制による制限，高金利等のため制度の目的は十分に生かされていない。

　教育費は地方財政の最大の支出であり，自治体の最大の財政課題であるとともに，国の地方財政政策の最大の問題でもあり，自治体や国の教育財政に関する関心や努力が強調されなければならない。ちなみに，1973年度の教育費の割合は，都道府県 27%（1位），市町村 19%（2位），純計 25%（1位）となっている。

国の教育財政　　国の教育財政には，設置者負担主義による国立学校の経費負担のほか，前述のような公私立学校の経費の財源措置があり，さらには，科学，文化，スポーツ等の振興に関する財政が含まれる。国の教育財政も国の予算制度（憲法7章，財政法等）に基づいて運営され，財源は一般会計の歳入予算の8割をしめる租税，なかんずく歳入の6割をしめる所得税，法人税が主要なものである。文部省所管の一般会計および特別会計の歳入予算は文教予算ともよばれるが，一般会計の場合，様式にしたがい，文部本省，文部本省所轄機関，文化庁の3つの「組織」に区分され，そのうち文部本省については，文部本省，教育統計調査費，文化功労者年金，義務教育費国庫負担金，養護学校教育費国庫負担金，義務教育教科書費，初等中等教育助成費，産業教育振興費，科学振興費，公立大学等助成費，育英事業費，南極地域観測事業費，社会教育助成費，体育振興費，体育施設整備費，学校給食費，私立学校助成費，公立文教施設整備費，公立文教施設災害復旧費，国立学校

運営費，国立学校施設費の 21 の「項」に細分されている。国の教育財
政は，国庫支出金，助成金の交付，地方交付税の配分，地方債の許可等
の財源措置を通じて，国立学校のみならず地方自治体の教育政策や学校
法人の教育方針，さらには，科学，文化，スポーツの方策を根本的に規
定し，国の教育政策を遂行する強力な物質的手段となっている。1960 年
代から唱えられた教育投資論は，教育費支出が国民所得の増加，経済成
長の上昇をもたらす投資性を強調することにより，教育政策を経済政策
に従属させ，高度経済成長政策に奉仕する人づくり政策の論拠となった。
学校統廃合の財政誘導，職階制給与による教員管理，私学の助成統制，
大学の研究費や科学振興費の統制など，国の教育財政による教育・研究
統制の傾向は否定できず，1971 年の中央教育審議会の答申（前出）以後，
それが強まっていることは問題である。

◈**参考文献**◈

◇三輪定宣「子どもの学習権と教育財政」講座・日本の教育 10 『教育政策と
　教育行政』新日本出版社，1976 年
◇海老原治善・平原春好・三輪定宣編著『図表でたどる日本の教育』ほるぷ
　教育開発研究所，1975 年
◇『季刊国民教育』26 号（特集，地方財政危機と教育）
◇三輪定宣「教育財政」『教育法入門』学陽書房，1975 年

III 学 校 教 育

1 学　校　論

　学校が現代ほど社会的関心や期待を集め，一種のつよい存在感を発揮している時代はないだろう。だがここで，現在の学校をめぐる問題状況や熱気について改めて述べる必要はあるまい。

　ここで求められるのは，問題状況の軸にあるもの，状況の理解にかんして一定の観点と視界を与える構造的なものの把握だろう。すなわち，学校という存在の素性，その性格構造こそ追究の主題にならなくてはなるまい。

　いかなる社会的・文化的契機ないし要因が，学校を形成し成立せしめたのか。学校の根拠となり動因となっているものは何か。かくて学校はいかなる性格をもち，どのような機能と役割をになうのか。——学校を成り立たしめている論理構造が探られねばなるまい。

学校の基本契機　まず大づかみに社会的過程の観点からみて，学校は，社会諸機能（ないし文化の諸相）のふくむ世代的な自己再生作用あるいは増殖作用の，分化と外在化の産物であるといえよう。その基底にはたらいているのは，社会的規模における分業の発達とある種の機能的合理化の趨勢である。

　一般に社会の諸機能ないし文化の諸相は，本来その営為それ自身にお

いて，自然的・即自的なかたちでなんらかの人間形成の作用を含み，さ
らにそこに内在的・直接的な形態で意図的な教育作用をも内包している
ものである。これらが，社会・文化の諸相における内在的・即自的な，
あるいは直接的・連続的な世代的再生機能であり，形成機能である。

　手工業における徒弟－職人制，農業における子弟の手伝い・労働参加
の形態における訓練と形成，諸芸における仕込みけいこ，僧院・寺院に
おける日々の生活と行事そのものをとおしての修道と修行，等々。これ
らにおいては，意図的な教育作用もまた，各相における営為そのものが
自然的なかたちで含む形成作用をベースとし，それと連続し，直結して
いる。すなわち，ここでは教育は，社会・文化各相の営為そのものと直
接的であり，連続的である。

　このような形態で自足的に教育作用が営まれるかぎり，学校は成立し
ない。言い換えれば，このような内在的・直接的な形態における教育作
用と区別されるところに，学校という歴史的形成物の特質がある。分業
の発達という観点からいえば，それが社会諸機能をたんに分化させるだ
けでなく，各機能内部から世代的な再生・増殖の作用をも分化させ外在
化せしめる程度にそれが高進した段階における産物として，学校という
存在をとらえることができる。

　このことを基底として，学校という形成物の種々の特質が生じてくる。

　まず，社会・文化諸相の実践的過程にたいする非直接性・非連続性と
いう性格である。すなわち，その非現場性である。社会的実践過程ない
し生産営為の現場にたいして一定の距離と隔たりをもつという性質であ
る。

　まず学校は，社会的実践過程から一定の距離をもったところに，場・
空間と施設・設備を保有する，物理的にそれ自身の専用的な場所・手段
を所有する。これとともに，時間的にも社会の直接的な実践過程から区
分される。ふつうの場合，一定時間，その専用的な過程を構成する。こ

のような学校の物理的・時間的な専用的性格は，ほかならぬそれの機能的・営為的な専業性につうじている。学校において主として，教育という社会的機能は，それ自身を目的とする専業的・専門的形態をとるのである（ただし，教育の専業的形態には，社会教育の範囲に属するものもあるが，この面については後章参照）。

　教育の専業的・専門的形態をとり，空間的場および時間的過程において専用的性格をもつというところに，まず学校の特性をとらえることができる。このことは，学校という教育機能の独自的な組織性，ないし専業的目的にともなう計画性，総じてその定型性を意味する。社会の多様な機能・営為の諸相のうちに瀰漫（びまん）的に溶け込み滲透した自然的な教育の形態にひきかえ，ここでは，機能的に濾過され分化された，教育の析出体があらわれる。

自然的形成作用と学校　さて先にもふれたように，社会・文化の諸相の内部で，その日常的・現場的な営為そのもののなかで，インフォーマルな教育作用が必要・十分な形で営まれるかぎり，学校という存在は必要ともされず，形成もされない。内在的・自然的な形成・教育作用が自足的である以上，学校は喚起されない。学校というもっとも組織的でフォーマルな教育機能（機関）が形成されるのは，この自足関係になんらかの変調が生ずること，すなわちインフォーマルな教育（形成）作用のなんらかの不足状態，あるいは相対的な縮小と退化の過程にもとづくといえる。

　自然的・直接的な教育作用の不足状態ないしは相対的な縮小・退化という過程は，まず実践過程そのものの変化と変質によるものにほかならない。教育（形成）機能の社会・文化諸相からの分化・外在化というフォーマルな形態の形成は，ほかならぬ社会・文化各過程内部における実践営為（能力）そのものの客体化・外在化の傾向と対応している。実践諸過程内部の直接的教育作用の相対的な縮小・退化，すなわち教育機能

の間接的形態の形成という過程は，社会的実践行為そのものの非直接的・間接的性格への動向と対応している。

　すなわち，諸相における（とくに物質的生産過程における）直接的・個人的な，ないしは随意的な行為範囲の縮小，行為形態の間接化・客観化という過程がここに横たわっている。これは，実践行為における，直接的な対人間関係ないしは個人対個人の直接的な接触範囲の縮小につうじる。かくて，実践過程そのものにおける自然的・直接的な形成および教育作用の縮小・退化が発生するのである。以上の過程にあって支配的役割をしめるのは，組織と技術の両面における客観的構造物の形成である。実践過程における客観的存在（体系）の比重の増大である。

　このように，学校の成立，すなわち社会・文化諸相の内在的・直接的な形成・教育作用の分化と外在化，そしてその専業的集約——専用的過程（場，機関，時間）の成立という経緯は，本来の自然的・直接的な形成・教育作用の削減ないし縮小を意味している。すなわち，学校という専業的で組織的な教育機関の形成は，各実践過程それ自身が含む内在的・随伴的で非組織的な教育（形成）作用のなんらかの退化の過程と照応している。この過程は，手工業における徒弟－職人制においてもっとも典型的であり，農業，商業（経営）においても進行し，同時に家庭をも包摂する。

　フォーマルな教育機関の成立と成長は，インフォーマルな教育機能の相対的な縮小にもとづいている。だが同時に，学校というフォーマルな機能の高度の発達が，インフォーマルな自然的・経験的形成（教育）の機能の削減と退行を助長する作用も及ぼしているだろう。これらはいずれも，現代の肝心な問題点につらなっている。

社会的分業と学校　われわれの前に現われているのは，ひとつの組織的で定型的な歴史的形成物である。自然的で瀰漫的な機能のひろがりと滲透に対して際立つ，集約的で集合的な組織体，精練

された晶出体である。なるほど学校は，集合，集団，団結，連帯というようなシンボルや価値観となじみ易い。学校は，なんらかの秩序指向や統制的性格を帯びているだろう。そこに連想され想定されるのは，社会的秩序や均質性，ないしは一様性である。

しかし学校のともなうこのような性格にもかかわらず，歴史的・社会的過程として学校の形成をとらえるならば，学校を要求し形成せしめるのは，むしろ社会的な変動や流動ないしは不安定というような要因であろう。個人的側面からみれば，身分・職業の変動の要因である。

逆に常同性や安定性が強い社会とは，共同体的な均質性と秩序をもつか，あるいは分業が身分制として固定し，各身分内における世襲制が確立している社会だろう。だが学校を歴史的事象として形成したのは，このような社会ではない。

組織性や秩序・安定を旨とするはずの学校という制度は，かえって秩序の動揺と不安定・流動を背景とするかのようである。変動・変差と不連続性が増せばこそ，それの対抗的・対応的役割において学校が求められる傾向がある。基底にはたらいているのは，商品経済の発達と分業の高進，労働力市場の形成と職業選択の「自由化」だろう。

普通教育への要求は，かえって職業的・職能的分化と多様化に根ざしている。職業的・職能的分化がすすみ，それにともなって同時に職業移動が増進する，職業の世襲制が崩れ，その世代的交代がひろがる（親と子のあいだの職業的・職能的連続性が薄弱化する）――このような事態を背景にして要求されるのが，普通教育である。

こういう事態にあっては，社会各機能（各職能）内部における連続的・直接的な形成・教育作用の意味は，きわめて弱くなる。職業的移動の増進と世代間の職能的連続性の稀薄化がその基盤にある。かくて，社会各機能の内在的・直接的な教育作用を分化・外在化せしめる動因は，諸機能それ自身の分化・分業化の高進であることが判る。職業的移動も

職能的連続性の稀薄化も，職業の分化・多様化にこそ基づくものである
から。高度に発達した社会的分業－職業の細分化は，その世代的再生機
能を外在化し，専業的に集約せしめるように働くといえる。ここには，
ひとつの法則的関係が認められる。普通教育＝学校は，職業の細分化と
流動を原液とするところの析出体である。したがってそれは，とりわけ
近代的形成物である。

**意識形態の分化
と社会的伝達**
ところで分化と流動化は，近代（近世）においてた
んに職業の面に現われるだけではない。社会的実践
過程における分業の発達は，意識形態面，すなわち
思想・精神の面における分化と流動化に対応する。この面もまた，まさ
に普通教育への要求と形成にとって，重要な要因となっていると考えら
れる。宗教改革期の宗派間抗争から絶対王政期にかけて出現する普通教
育の原型を，われわれはこの脈絡においても理解すべきであろう。思
想・心情面の集団的統合や共同化への要求は，意識形態の分化（個人性
化）と流動化が進めばこそ高まる，と見られるのである。

　さて分業の発達や意識形態の分化という要因と関連して，さらに他の
ひとつの要因がここに加わる。それは，社会的関係・伝達・交通の側面
である。

　分業の発達は，職業諸過程を分化・多様化させ複雑化させるのと同時
に，それにともなって個々の職業過程間の伝達・交通関係を多様化（多
量化）させ，複雑化せしめる。分業と商品経済の発達は，社会諸過程
（諸分野）間のこの関係・伝達・交通という機能を社会的実践および生
活の重要な構成因たらしめるようになる。この動向を，意識形態上の分
化というもう一方の要因がさらに促進し，複雑化させているだろう。

　この新たに複雑化する社会的機能への参加の必要が，普通教育の形成
のいまひとつの要因である。読・書・算という普通教育の原初の形態の
普及には，むしろこの要因の影響が大きいだろう。

教育内容の特質　さて以上のような学校という歴史的形成物の形態・機能上の性格は，おのずからその内容・方法面の性格と対応し関連する。

　学校は，教育の専業的形態として，空間的・時間的な専用的過程を構成する。そこで行なわれる教育作用は，もはや社会的実践行為がそれ自身の過程のうちに自然的なかたちで含む形成作用と連続したものではない。実際的・現場的営為そのものからは切り離される。すなわちそれは，現場的営為そのものがおのずから伴う形成力の素地は欠いている。

　先にみたように，社会・文化の諸相に内在的に随伴する教育作用は，一般にそれらの諸相の営為そのものが自然的に含む形成作用と直結し，むしろそれに包摂されている。したがってそこでは，その教育作用の内容は，半ば実践的・現場的営為そのものである。実践的・生産的過程そのものが，それ自身教育内容としてはたらき，教育の方法も，まずなによりその過程に被教育者が参加することを基礎条件として成り立つ。そこに意図的・計画的な選択や工夫が加えられるにしても（教育の内容と過程をなすものにかんして），それは実践的過程そのものときわめて連続的・直接的な性格をとる。すなわち教育の過程と内容そのものが，実際的意味を帯びているのがふつうである。

　それにひきかえ学校という専業的機関においては，このような連続性・直接性は失われている。ここでは教育の過程と内容は，それ自身として独自に構想され，計画されねばならない。実践過程それ自身（教育という面では非意図的・非計画的な）が，教育内容として機能するということは，ここでは一般には現われない。教育の過程と内容は，ここではかつてのものとは基本的に異なった性格をとらざるをえない。その機能的役割という点では，学校は社会・文化諸相に内在的な教育作用が分化・外在化した位置をとるものであるが，そのことはたんに内のものが外に出るということではない。内在的なものが外在化すること，専業的に集

約化されることが，それ自身その性格に影響を与える。

この影響はまず2つの点で現われる。

教育専用の過程と内容を独自に計画し実践しなければならない（2次的実践）ということから，まず必要なことは，この過程と内容を計画し構成する主体と，それを実践し運営する主体である。かつての場合には，社会・文化諸相の実践的過程そのものの計画者・実践者が，それ自身半ば教育の過程と内容のそれでもあった。かかる関係がそこでは成り立ったが，学校の場合にはこれはない。

近代知識の形態と学校 社会的実践過程との連続性・直接性が失われたとしたとき，そこに独自に構想され，つくり出される教育内容とはいかなる性質のものか。この面への影響が第2の点である。ここで必要なことは，教育の過程と内容を直接的な実践的過程と距離をもち，非連続的なかたちで成り立たしめる何ものかが与えられることである。教育が専業の機能として集約されねばならないとすれば，実践的諸営為の含む（ないしは随伴する）教育作用を集約し代表しうるがごとき何ものかが与えられることである。

この要求に応えるものこそ，知識，その一定の形態である。教育の専業的集約の過程にあって，内容的に基本的要因をなすものは，ないしは基軸的契機を与えるものは，近世における知識の形態・性格の画期的変化である。その変化とは，簡略に，事物，あるいは事物にかかわり働きかける，ないしはつくり変える実践の世界と，知識ないし知識体系の世界との接近，その中世末から近世にかけての一定の形態における具体化である，ということができる。

学問（科学）史が教えているように，かつて事物（自然）の利用・支配の仕事と事物（自然・世界）の認識・解釈の仕事とは，この時代にいたるまでは，互いに触れ合わない別個の世界を構成していた。すなわち一方に職人または農民層の仕事と技能の伝承があり，他方に僧侶・僧官

たちの知識と学問の伝承があった。一方に技とはたらきの世界があり，他方に文字と書物の世界があった。両者は長い間交わるところがなく，むしろ世界（自然）についての認識・解釈（自然像・世界像の追求）の仕事と自然にたいする働きかけ（実践）の仕事が結びつこうなどということは，一般には考えられもしないことであった。もっとも，職人の世界にも広い意味で知識というべきものがなかったわけではないが，それは技と分かちがたく結びついた体験的（ないしは体感的・体得的）性格のつよいものであって，したがって，仕事の現場をとおして腕から腕へ，個人から個人へと直接的に伝えられた。すなわち，知識は個体的行為や存在と一体であって，それ独自の客観的（文字的・体系的）世界を獲得することはなかった。

このような事態にかんして，中世末から変化が現われたとされている。レオナルド・ダ・ヴィンチ (Leonardo da Vinci) が書き遺している機械，土木，都市計画また軍事等にかんする着想・考案・設計の覚書（手稿）は有名であるが，ダ・ヴインチにみられる事蹟はたんに特異なものではない。自らの仕事の経験や工夫・考案を記録・記述する試みは，近世初頭にあって職人の世界にある程度の広がりをもち，このような新しいタイプの職人がひとつの社会層を形づくるようになっていたと見られている。

理論の側においても，たとえば機械工場の諸々の局面のメカニズムの記録や分析が，動力学体系への素材となるというような動きが現われる。

このようにして事物と実践の世界が，文字と知識の次元に接近する。一定の方向で客観的・体系的形態を与えられる。個人的・体得的手技を主体とする仕事の方法と能力が，客観的知識の形態において把握されうる範囲を拡げる。個体的行為や存在と結びついていた知識が，それ独自の世界と体系を形成しはじめる。

実践過程の内在的・直接的な教育作用の分化・外在化の基底には，こ

の動向がある。これが，歴史的事象としてのその趨勢を内容的に支える基本要因であると見られる。教育作用の分化・外在化は，知識の実践過程からの分化・外在化を支柱としている。教育の専業的集約は，知識の専業的独立を根拠としている。歴史的・公共的な，ないしは大衆的な事象として学校を形成せしめるのは，この要因であろう。ここにおいてこそ学校は，実践過程にたずさわる階層の問題たりうることになる。

　この過程において支配的意味をもつものは，さきにふれた実践過程における客観的存在（体系）の比重の増大である。すなわち組織と技術の両面における客観的構築物の形成である。知識の客観的体系化は，まず実践過程そのものにおける客観的構造物の形成を基礎としている。個人的存在と一体化していた仕事の方法と能力は，この客観的構造物の形成にともなって，客観的・物理的メカニズムとしての把握を許す範囲を広げる。

　分科的編成　客観化された知識は，体系的・分科的形態をとる。学校の教育内容の主軸をなす教科の基礎にはこれがある。教育内容の分科的編成は，まず事物（自然）と実践（技術）の領域を基軸にして諸々の分野に波及する。この領域とともに，母国語が近代学校＝普通教育の内容の枢軸としてあげられるが，母国語の登場の背景にも，ナショナリズムと同時に，事物・実践・現実という要因の浮上と同様の潮流がはたらいている。

　体育の教科としての登場も，同様に実践（身体）の観点から理解されうる。紳士道・騎士道というような面から，身体－健康そのものにたいする関心への移行がここにある。ただし，体育の場合には，われわれが先に職業形態や意識形態（思想・精神）の面にたいする分業の影響としてみたのと類似の事情が，かなりの要因として横たわっていることに注意すべきだろう。すなわち，社会的分業の高度の進行が，職業形態を細分化させると同時に意識形態をも分化・流動化させ，これが職業能力形

成作用の集約と同時に意識・思想形成の統合をも喚起する傾向があると
いった，あの面である。職業形態に発生した細分化は，おのずから身体
的行為（実践形態）の細分化と部分化をもたらす。家内工業期からマニ
ュファクチュア期にかけての児童労働の実態が，いわゆるリアリズム
(Realism, 実学主義）の教育思想家たちによる体育への関心と問題意識
の根拠にある。機械制工業がこの事態をより顕著にしたことは，周知の
とおりである。社会的実践過程の内在的・直接的教育（形成）作用の縮
小と退化，その外在化と専業的集約というパターンを，この体育の局面
においても認めうるわけである。

　分科的編成の波紋は，芸術の分野にも及ぶ。この分野では，音楽は，
讃美歌など宗教的行事と結びついた形態で，あの普通教育の原型期（宗
教改革＝絶対王政）にすでに登場するが，一般的には芸術的内容は，後
にとりあげる学校形成をめぐるもう一方の契機を根拠とするものだと解
すべきだろう。図画も19世紀になると普通教育のレベルにも導入され
るが，これはもともと実践（製作・製造）につらなる線上で物の形を正
確に把握・表現することを主眼とする性格の教科であった。

基軸的契機と潜在的契機　以上が学校という歴史的形成物の基底的・起動的な契
機というべきものである。それにもとづいて，体系
的・分科的知識主軸の教育内容があらわれる。これが，
学校の基軸的機能といえるだろう。

　ところが，このような学校の基軸的機能そのものが，同時に別種の機
能への要求と期待を喚び起こすことになる。学校の基軸的契機とそれに
もとづいて形成されるその性格そのものが，それとは異質の，むしろ逆
の性格への方向性を喚起する。

　学校の形成の基底をなすのは，分業の高度進行と内在的・直接的教育
（形成）作用の分化・外在化にあった。分科的・言語的知識（知識の実

践過程からの分化・外在化）がその趨勢を支え，可能にした。学校の基軸はここにある。ここに貫通しているのは，分化と機能的合理化の衝動である。しかし同時に，その分化の運動そのものが，総合化への要求と希求を喚び起こすことになる。

　分科的・体系的・言語的知識という基軸が学校の性格を全体として方向づけている。その計画性，組織性，定型性や学級，学年，進級，また，時間割，年間計画，教育課程構成，集団的・大量的教授というようなそれを特徴づける性格は，この基軸なしには本格的には成り立ちえないものである。しかし，このような分化と合理化，組織性と計画性というその性格そのものが，逆の性格への要求を喚起する。

　大づかみにいえば，学校は己れが削減し置換したはずの元の世界からの問いをひき起こすことになるのである。ここに学校の潜在的契機というべきものがある。直接的実践，具体性，全体性など——己れが訣別したはずの世界の属性が，あらためて学校の課題となる。

　一方，直接的な実践過程のあり方そのものが，もはやかつてのものではない。マニュファクチュア期以降の職場内分業の進行とそれに随伴する賃労働（雇用労働）の形成，そして家庭の存在形態の変化にとりわけ注目しなければならないだろう。ここにおいても総合性と全体性は削減されている。家業への参加とそれをとおしての陶冶は影をひそめる。

　学校教育への芸術的内容や徳育的内容の導入にかんして，また体育や技能的内容のとり入れにも，この方の契機がつよくはたらいていると見られる。すでに徳育や体育についてみたように，これらの諸内容の登場にかんしては，前の基軸的契機の作用もはたらいている。だからそれらは，分科－教科の形で知識的内容を中軸にして編成されもする。しかしまたこれらの分野では，教科的編成の枠を越えた総合性や具体性（全体性）への指向が現われがちである。

　そのような指向は，これらの分野において具体化され易いが，さらに

それはその他の一般の知識的教科にも及ぶことがある。

直接性への指向　　普通教育の形態が西ヨーロッパの諸国で国家政策として着手されはじめた当初の 19 世紀の前半期に，はやくも分科型・多数科型カリキュラムにたいするリアクションが現われていたことが知られている。すなわち，児童の学習心理や生活や地域（郷土）等を根拠として，分科的知識を内容とするカリキュラム編成にたいする批判と改造の主張が，とくにドイツに現われている。20 世紀初頭からのいわゆる新教育運動のなかでの教育内容・方法の改造の試みは有名である。その批判の主張も，この運動の思想の先駆とされている。子どもの心理と生活，地域，労作などの批判の根拠は，かなりの一般性をもつものである。

地域の直観的学習をベースとして教育内容全体を統合すべしとする提案，労作活動を中心としてカリキュラムの総合化をはかろうとする試み，また具体的な子どもの生活そのものを学校に導入せよという主張などが，そこから導かれる。これらの主張や提案には，学校の素性に根ざす先の潜在的契機がはたらいていると見ることができよう。

この潜在的契機の発動という面にかんしては，学校はとくにひとつの根本的な理由を内包している。というのはほかでもない，子どもという存在をそれが対象とするということである。子どもがなじんでいるのは，具体的・感性的世界であり，直接的経験である。一方の知識体系の世界とこの具体的・経験的世界との距離が，一般に学校教育の負荷としてあるいは課題としてかかる。新教育運動の出発点も「子どもから」であった。

**現代における
諸契機の発達**　　近代（近世）の分業を軸とする社会的・経済的条件と文化（知識）の形態が，学校という形成物の性格とつよい相関関係をもっているということが，以上でほぼ判った。近代以前にも学校がなかったわけではない。だが，近代の性格

は，学校を歴史的・一般的事象たらしめた。学校は近代においてこそその土壌を得る。学校のなかには，近代の諸条件が刻印されている。

　さて最後に現代であるが，以上にみてきた点で，つまり学校形成にはたらいている諸契機・諸要因のうちで，現代において増幅拡大されていないものはあるまい。——すなわち分業の発達，世代間の職業移動，生活形態また意識形態の分化・流動化，社会的関係・伝達・交通の機能の複雑化，そして知識の体系的・分科的編成，あるいはまた実践（生産）過程における技術と組織両面での客観的体系化，実践営為（労働）の間接化・非主体化，自然的・経験的形成（教育）作用の退化，等々。

　すなわち，現代は，学校形成への基軸的・起動的契機としてとらえた諸要因の発達に充たされている。現在の学校教育をめぐる状況は，これらの社会・文化の諸側面における傾向や性格の凝集的表現と見なければならないだろう。

　しかし，このような学校の基軸的契機にかかわる諸要因の発達は，さきに見たところから判るように，ますますもう一方の学校の潜在的契機というべきものの発動を課題とするはずである。それはむしろ文化的方向性の，ないしは文化的選択の問題だろう。

◉参考文献◉

◇デューイ，J.『学校と社会』（宮原誠一訳）　春秋社版または岩波文庫版，1957 年。

◇勝田守一「学校の機能と役割」『現代教育学』2，岩波書店，1960 年。

◇Brubacher, J. S., *A History of the Problems of Education*, McGraw-Hill, 1947.

◇梅根悟『カリキュラム改造』金子書房，1949 年。

◇佐藤正夫『近代教育課程の成立』福村出版，1971 年。

学校と教授＝学習活動　　現代の学校は，子どもの教育のために計画的に
つくられた特別の空間である。原則として，一
定の時間に，一定の場所で，また一定の顔ぶれで，一定期間教育をおこ
なう点に特徴がある。このような特徴は，同じように教育的機能をあわ
せもつ空間であっても，家庭，図書館，博物館，などにはみられない。

　ところで，教育と一口にいっても，その種類は多い。そこで，この一
定化ともいうべき特徴をもつところでおこなう教育としてはどの種のも
のが適合性をもつかの問題がおこってくる。逆に，その種の教育をすす
めていくために，この一定化という特徴をどう使っていったらいいかの
問題がおこってくる。最近唱えられている脱学校論の考え方は，その一
例である。学校とはそもそもどういうところかということは前節でのべ
たので，ここでは，そこでおこなわれ，おこなわれようとしてきた教育
活動を種別にわけて，考えてみることにしよう。本節では，まず，教授
(instruction，知識を教え，学力をつけること) 活動についてのべ，以
下の節で，それぞれ，体育，芸術教育，職業教育，そして訓育 (educa-
tion，人格をつくること) について考えていくことにしよう。

　教師のおこなう教授活動を子どもの側からみると，学習 (learning)
ということになる。しかしながら，教師が教えたと思っていることと，

学習者が実際に学習したこととは，必ずしも同一ではない。学習者は教師の学習して欲しいと思ったことを不十分にしか学習していないかもしれないし，誤ったものを学習したかもしれない。また，教師が教えているつもりのないことも学習してしまったかもしれない。この意味においては，教授と学習はイコールではないのである。

しかし，その教授＝学習過程で学習者が学習してしまったことは，間違いなく教師のなした教授活動に原因するのである。教えているつもりのないことでも，教師の活動として何等かのものが存在するからこそ，それが学習されているのであり，十分に教えたつもりでも，教師の活動が不十分であったからこそ不十分な学習しか成立していないのである。この意味においては，教授は学習と完全にイコールだということになるのである。したがって，教授という言葉は，教えたい，または教えたと考えることと，現実になされたまたはなされるであろう教授活動という2つの意味を持っているが，ここでは教授を後者の意味で用いることにする。

教授＝学習過程においておこなわれる教師の活動は，すべて対応した学習を引きおこすであろう。たとえば，学習者にグループを作らせ，そこでの討論だけで授業を終えてしまえば，教師の教授活動はないように思えるが，じつはそうではない。教師がグループ討議にまかせてしまって，積極的な活動をしていなくとも，それは教師のひとつの選択なのである。学習者たちの討議のみではよく学習できないかもしれないし，また逆に非常によく学習できることがあるかもしれない。しかし，どちらにしろはっきりしていることは，その教師がそのようなやや結果のわかり難い学習の形態を選んだということであり，それを選択し続けたということなのである。この場合にも，やや広い意味においてであるが，学習者の学習したことは，教師によって選択された教授活動に対応しているといえるのである。

　教授の世界を，このように，教師の主観的な意図としてではなく，子どもの側に現われた事実の変化の側からとらえていこうというのは，ほかでもない。このようにみていくことによってはじめて，本書の最初の方（Ⅰの①の4）でのべた教育的価値の世界がよくみえてくるようになるからである。

目標論　なにを教えるかを目標（educational objectives）とよぶ。（教育）内容とよぶばあいもある。目標（内容）の一例は，日本では文部省告示の『学習指導要領』に示され，教材（subject matter）として教科書や副教材類に具体化されている。この目標には，「小学校教育の目標」とか「国語科の目標」といった大きいものから，「本時の目標」といった類の，一時間の授業の目標にいたるものまである。なぜ△△を教えなければならないかという教育目的とは区別される。△△をだれに，いつ，なぜ教えなければならないかの目的問題は，教育計画の基礎理論である。本書のⅡ教育の計画化を参照してほしい。

　目標論には，どのような知識が教えられねばならぬかの問題と，それらを学校階梯別，学年別にどのように配列するかの問題がある。両者は教育課程（curriculum）研究の重要部分であるが，その研究水準の現状はまことに低く，おそまつである。1950年代から60年代にかけてのアメリカで，SMSG, PSSC, BSCS, CHEMS といった頭文字をもつ教育課程案が次々と発表されて世界の注目を集めた時期があった。日本でいえば，数学の計算教育の分野における水道方式などが注目された。しかし，これらの研究成果は全体でいえばごく一部のものにとどまり，十分こなされてもない。日本の各教科の目標は，理論的根拠あってのものというよりも，従来からの慣習によった経験主義的なものが多い。近来，学校栄えて教育亡ぶといわんばかりの「教育貧乏」物語をなくするために，「ゆとり」が文部省筋から提起され，教育内容の「精選」がうたわれているが，現状はすこしも動かない。これは，掛声ばかりで理論がない

からである。最近には，目標論の成立そのものに疑問を呈する人びとも
でてきた。この種の懐疑論は，じつは古くからの伝統をもっているのだ
が。

　このような現状を打開するためには，教育課程と目標研究についての
研究方法論そのものを検討してみることも大切である。哲学的な目的論
から目標を演繹的にひきだそうとしていたやり方に対して，かつて，ア
メリカの F. ボビットは，社会調査を基礎にした「活動分析法」(Acti-
vity Analysis) と称する目標研究法を提唱した。日本でも知られた B.
S. ブルームらの「教育目標分類学」(Taxonomy of Educational Obje-
ctives) はこれを発展させており，また，J. M. アトキンの「工学的ア
プローチ」と「羅生門的アプローチ」という方法論の提唱もある。日本
では，成功した教師や学校の実践を調査し分析して，そこから，当人た
ちも十分には自覚的でない目標決定の一般理論をひきだそうとする試み
もある。

方向目標と到達目標　目標（内容）が決っても，それをどういうかたち
で教授活動の実際に具体化するかという段になる
と，さらに，もうひとつの問題が加わる。たとえば，集合論を教えよう
ということに決っても，これを「集合の概念」というかたちで目標化す
るか，「集合的な考え方」にするかの問題である。似たような問題は，
合理主義と合理的な態度，交通と交通安全の心がけ，といったかたち
で，たくさんでてくる。

　この問題は，後述する（教育）評価論と結びついて，到達目標か方向
目標かというかたちで目標としての当否が論争されてきた。集合の概
念，日本語の促音の発音，奈良時代の産業，ボイルの法則といった目標
のたて方のばあい，子どもの学習すべき目標は到達点として明示でき
る。これに対し，集合的な考え方を育てる，文字を正しく整えて書くと
ともに進んで文章を書く態度を養う，四季の移りに興味をもたせる，の

びのびした作品を描く，といった示し方では，学習のめあては方向とし
て示され，到達点はなく，無限の彼方へと吸収されてしまう。考え方と
いい，態度といっても，それには無数に近い集合的である，あるいは合
理的な段階があり，そのどれであるかは，この目標からは確定できない
からである。そこで，このような呼称が与えられることになった。

　到達目標か方向目標かが争われてきたのは，ひとつには，子どものど
のような学習と学力の状態が教えられえた状態としてのぞましいかとい
う教育的価値，つまり「人格の自覚的発達可能の程度」のあり方につい
ての複数のモデルが教育・教育学界に存在していて，2つの目標論がこ
のモデルのちがいを自覚化してくることになったからである。しかし，
もうひとつ，この論争は，もっと重く根深い問題をひきずっている。そ
れは，教育という大人のしごとを，子どもの権利事項とみるか子どもを
選別する大人のしごととみるか，さらには，現代学校のもつ「義務教
育」という規定はそもそもなにを意味しているのかという，現代教育の
本質のとらえ方についての意見の対立という問題である。

　方向の指示というかたちで目標をたてると，これを学習しきれば合格
という到達点はなくなる。ところが，目標はじつは評価の基準という関
係にあるから，方向目標論は，評価論の分野には序列主義となってあら
われ，教育を選別とする体制を，導きはしないにしても容認することに
なる。教育を子どものえりわけとする考え方は，現代学校の理念になじ
みがたいものではないか。こうして，到達目標か方向目標かの論争は，
目標はどうやってつくればよいかという技術的な問題よりもまえに，目
標とはそもそもだれの目標かという，より本質的な問題を表面化させて
くることになったのである。到達目標論を提起している人びとによれ
ば，目標は，本質的には，子どもたちが自分たちの「人格の自覚的発達
可能の程度」をおしひらいていくための自分たち自身の学習活動のめあ
てであり，そのつくり手と提示者が実際には教師であるとしても，それ

は教師たちが，子どもに代ってそれを仮りにあずかっている姿だとする
のである。

1970 年，京都府教育委員会が俗に「長帖」とよばれている討議資料
を出して教育課程と評価に関する見解を発表して以来，到達目標と方向
目標は二者択一的なものではなく，到達段階の質的なちがいを示すもの
とする説があらわれてくる。しかし，このときでも，目標は本質的には
子どもの目標であるとの立場がくずされているわけではない。

教育課程のうちこの教育目標の部分は，日本ではながく官僚統制下に
おかれ，聖域化されてきた。研究の遅れはこのことと関係がある。その
自由化が望まれる。

目標と方法　教育目標（内容）は，現代社会では国レベルで選ばれた
り，自治体や学校レベルで選ばれたりする。その選び手
も，各国それぞれに多様である。しかしながら，どういうレベルで，ど
ういう手続きで選ばれるものであるにしても，選ばれただけの目標とい
うのでは，所詮，教えようとされている目標にすぎない。実際に教えら
れえ，子どもの学習による変化の事実へと転化した目標に移行するため
には，教授の方法（teaching-method）を介さなければならない。この
方法は教材（subject matter）を通して働く。教授の理論で，目標論と
ならんで重要部分をなす教材論のとり扱う領域が教授活動全体のなかで
どういう位置を占めているものかをはっきりさせるために，つぎのよう
な問題を考えてみよう。

教育学では，「教育内容」と「教育方法」とか，「目標」と「方法」と
いういい方がよくされる。そのようにいうと，教授が主としてかかわる
のは後者であるという感じがしがちである。目標（内容）は，教育の目
的や能力などから演繹的に定まり，方法からは独立しており，その定め
られた内容の教え方の工夫が教授の役割だと考えられるためであろう。
しかしながら，それとは逆に，「なにを」という目標と，「いかに」とい

う方法とは切り離しては考えられないもっと密接に関係したものだという考えもある。これらについてはどのように考えればよいのであろうか。

　いま例として，ニュートンの第2法則を教えるというばあいを考えよう。

　ある教師は，f＝mαというかたちの式を教え，力が質量×加速度であることを，意識的にであれ無意識にであれ重要視した教え方になったとする。それに対して，いまひとりの教師は，mα＝f というかたちで教えたとする。このとき重要視されたのは，力によってある質量のものに加速度が生じるということであり，質量が同じであれば力が大きいほど加速度が大きくなるとか，力が同じであれば質量によって加速度の大きさに相違がでてくるといったことを教えることになるであろう。

　それまでになされた先行学習によってもちろんことなるが，通常第1の教授による学習は，加速度を具体的にとらえにくいことから，それを使っての力の理解もやや混乱した不明確なものとなりやすいようである。第2の教授による学習では，力という半解りではあるがある程度具体的なイメージを持ち得るものに中心化できるため，それを軸として加速度の理解も操作的な感じを通しておこない得るようである。

　これらの学習の相違が，教授活動の相違によってもたらされることはいうまでもない。しかし，それは目標の相違なのであろうか，それとも方法の相違なのであろうか。

　ニュートンの第2法則が共通に教えられたというレベルでの教育目標「なにを」は，上の2つの教授において相等しいといってよい。そこで，第2の「なにを」を考えることにしよう。「なにのなにを」教えるかということを考えてみる。第1の「なに」は共通であるが，第2の「なに」は2つの教授活動において異なっている。

　目標と方法とがある程度別のものだという考えは，第2の「なに」を

方法に含ませているのである。したがって，その場合の目標は第1の
「なに」だということになる。しかし，この第1の「なに」は，教えら
れたものという意味での目標とよばれるのにふさわしいであろうか。

　ある教授活動は何等かの内容を示している。教授活動がいかに教師に
意識されなくても，また借り物であったとしても，客観的にいえばそれ
はひとつの選択された内容を示すのである。この内容が教えられたもの
であり，それは第2の「なに」であって，第1の「なに」ではない。第
1の「なに」を直接教えることはできない。ニュートンの第2法則とし
て教科書に書かれているとおり教えるにしても，第1の「なに」と第2
の「なに」のあいだには選択という行為を考え得るのであり，区別する
ことが可能である。2つの「なに」のあいだには，読みとりや何が重要
であると考えるかといった解釈があるのである。

　したがって，教えられた目標とよばれるのにふさわしいのは，第2の
「なに」であり，第1の「なに」は，広い意味で目標とよぶことも可能
ではあるが，ここではむしろ教えられた目標以前のものなのである。

　「いかに」教えたかという教授の方法は，必ずそこに明示的にであれ
非明示的にであれ，第2の「なに」を示しているのであるから，教え方
はよかったけれど，教えた目標はよくなかったというような言い方はで
きないのである。また，第2の「なに」は，「いかに」を大きく規定す
るであろう。したがって，教えようとした目標はよかったけれど，教え
方がよくなかったという言い方も，通常考えられるほど安易には使用で
きないのである。

　また，第1の「なに」も，方法から独立しているわけではない。第2
の「なに」を明確にすることによって，ある第1のなにを教える必要が
ないと考えられるようになるかもしれないし，これまで重要だと考えら
れなかったものが，教授の方法のなかから，第1の「なに」として登録
したくなることもあるだろう。

教材解釈　　教材が必ず先にあり，それから解釈があるというスタティックな関係だけではないことに注意しなければならないが，教材はそこにあるだけであって，それを解釈することによって，はじめて目標が現われてくるのである。では，教材解釈とはどのようなものだと考えられるのであろうか。

あるものを学習して欲しいと考えるとき，なぜ学習して欲しいといえば，それを学習すること自体が目的だからではなく，それが学習者によって使用されることを無意識にであれ仮定しているからであろう。

使用されるといっても，必ずしも外部に向かってその学習したものを用いることを目指してはいないかもしれない。新しいものを学習することによって，これまでの知識の整理がつき，整然としたものとなることが期待されるかもしれない。このとき，新しく学習されたものは，直接的に外部に向かって使用されるわけではない。しかし，学習者の内部で使用されることになる。整理するために使用されるのである。

また，学習の直後に使用されることを想定していないかもしれない。しかし，それは使用されないことを意図しているのではないだろう。のちのち使用されることを，どこかで考えているはずである。または，使用されるための準備をしているとも考えられよう。

いずれにしろ，学習されたものがまったく使用されないことを前提にして，学習させることはないのだと考えられるのである。

そして，教材解釈はその学習されるであろうものの，使用される領域を問題にしていると考えてよいのである。

ニュートンの第2法則の2つの教え方は，第1の方法においては力を説明するという領域や，力と質量および加速度の関係がどのように表現されるかという領域に限られているのである。第2の方法は，それに対して，もっと広い領域で使用されることを考えたのであり，運動方程式としての使用をも意図しているのである。

第2の方法がとられるとすればそれは，第1の方法より，たんに学習者に法則を理解させやすいからだと思われるかもしれないが，むしろ理解がやさしくなったのは使用される領域および使用のされ方が第2の方法において明確であったためではないだろうか。また，使用の領域がことなれば，学習されたものはほとんど別のものだといってもよい場合が多いだろう。第2の「なに」が目標に属すると述べたのもこの理由からである。

教材解釈の相違は，教師によって想定された使用の領域の相違なのである。

ニュートンの第3法則，作用・反作用の法則を，机とその上におかれた物体とのあいだや，うごきのないバネとおもりとのあいだなどのように，静力学のなかだけを使用の領域だと想定するのと，運動のある動力学の領域においても使用できることを目指すのとでは，作用・反作用の法則の教材解釈は大きくことなるのである。

また，「影」という語には，物体によって暗くされた部分という意味と，「月の影」などという場合のように，光という意味もあるのだと教えるのと，第1の意味だけを教えるのとでは，「影」という語の使用される領域が異なって考えられているのだといってよいだろう。

文学教材などの場合，そのなかのある部分の解釈は，他のある部分とどのように関係するかということで異なってくるであろう。関係の仕方とは，その部分に関しての学習されたものの他の部分での使用を意味しているのである。作中人物の気持を学習者に考えさせたりすることもあるが，これはそれだけが目的でないとすればどこかで使用されるはずであろう。また，語句の意味を明確にする作業も，全体を読みとらせるという作業に使用されるはずなのである。あるものを典型例として与える場合にも，使用の領域が関係してくるのである。いま，金属の典型例として，鉄をとりあげるとすると，それは鉄のもっている属性のうち，教

師にとっても学習者にとってもとり出しやすい属性が金属の特徴とされるわけである。また，銅が典型例としてとりあげられるなら銅に関して同様の属性が，金属の特徴とされるであろう。このとき，両特徴が同じものであるという保証はなく，むしろ異なっているのが普通である。したがってその場合，教えられたものは異なるのであり，使用の領域も異なるのである。

どのような使用の仕方が，すなわちどのような使用の領域が，重要であるかと考えることによって，教材のもつ意味を明確にすることができ，教えたいと考える目標や教え方も鮮明になってくるのである。

この作業は，科学についていうならば，実際にはそうでないにもかかわらず確固としていると考えられている科学の体系のとらえなおしといったことを意味するのであり，教えるという現象の主体である教師の，非常なる主体性が要求されていることなのである。

よい教材 教材と教材解釈の関係は，前者から後者へのスタティクな関係ではないが，とさきにのべておいた。つぎに，この問題をとりあげてみよう。

解釈という行動は，人間の主体的な行為であり，ひとつの創造的活動である。解釈の対象に制約されるという層ももっているが，それにつきるものではない。そこで，この後者の側面を強調すると，教材の解釈といっても，じつは色々のそれがありうることになる。これが教材だとされているものを手がかりにして，それぞれの場合に適したもうひとつの教材をつくることも，じつは，教材解釈なのだということになってくる。これを，教材解釈に対して，とりたてて，教材つくりとよぶ場合がある。先にあげた，ニュートンの第2法則の教え方の2つの場合をもういちど思いおこしてほしい。そこであげた 2 つの「式」の「かたち」は，じつは，第2法則を教える場合の2つの教材（つくり）になっているのである。

　教師の子どもに対する教授活動は，目標そのままではなく，この教材を媒介にしておこなわれる。教材をどうつくるかによって，目標が規定されてくる。先にもみたように，ニュートンの第2法則を教えるにあたっての2のつの式，2つの教材つくりは，教えようとする目標の違い（ニュートンの第2法則の，子どもにおける異なった使用の領域）を必然的にもたらすのである。そこで，目標に合うように教材をつくらねばならぬことになるだろう。だが，なぜ，目標のほかに，教授の媒介物として教材とここによんでいるものをもってこなければならないのだろうか。

　教えようとする目標（内容）をそのまま提示したのでは，その内容がたとえ子どもの発達段階に合っていたとしても，異なった学習の状況，ちがった生活条件のもとにある子どもには理解できないばあいが多い。そこでその認識過程を，より多くの子どもが，よりたのしく，より正確で深く，かつより少ないエネルギーですすめていくことができるようにとの観点，つまり，ものの「優劣の方法論的・発生論的尺度」（本書 35 ページ）をものさしにして特別に加工された文化財が，教材なのである。この条件をみたすためには，それが，子どもの学習状況，その核心にある生活概念につながっていなければならない。一方，目標の内容をなしているものは，科学的概念や種々の文化的形象である。そこで，教授における教材つくり（解釈）とは，目標をなす科学的概念や形象をとらえて，これを子どもの学習状態をつくりあげている生活概念にまでたかめていくしごとだ，と定義できよう。

　このたかめていくルートが途中で決壊していたり，途中決壊はなくても，出発点もしくは到達点のいずれかもしくは両方ともにつながっていなかったりすると，認識者はこれをたどれなくなるから，おちこぼれの子どもが多くでたり，あるいは，なにを学んでいるのか教授の内容のはっきりしない授業になったりする。このような教材を，欠陥教材，ガラクタ教材とよぶ。教材解釈の過程は，このような欠陥・ガラクタ教材を

捨て，よりよい教材をあらたに補充していく教材つくりの過程でもあり
うる。教材の国定化（たとえば国定教科書）が教育学的には悪とされる
のは，与えられた教材が国家権力によって絶対化されるため，よりよい
教材つくりという教材解釈のこのポジチブな側面の進行がふさがれてし
まうからである。教職の専門制とか教育の自由ということが強調される
のも，教授や教材は子どもの学習のためのものというこの同じ理由から
である。

教授とよい学習　　まえにのべた，使用の領域ということについてもう
すこし考えてみよう。使用の領域を教材について考
えることによって，教材のよしあしの判断基準がでてくるし，教材の教
える内容が明確になる。だがそれにとどまらない。同様に教授の理論を
考えていくうえでの大切な要因である学習者の状態をも使用の領域とい
うことで考えることによって，状態を明確にすることができ，したがっ
て教えなければならぬことも明らかになるのである。

　学習者の状態というだけでは少し漠然としているかもしれない。そこ
で，学習者の状態は，無数の認識で構成されていると考えることにしよ
う。感情等のいわゆる認識とは考え難いものも，広い意味では認識と同
様の機能をもつとも考えられるから，状態を認識で構成されたものとみ
ることができよう。この見方に異論がある場合には，学習者の状態を認
識的なものに限るということにする。

　構成している認識は無数であるが，ある教授は特定の内容をとりあつ
かうのであり，したがってその時の学習者の状態とは，特定の教授にか
かわってくる認識群だと考えればよい。

　これらの学習者の認識は，認識である以上適用されて使用される領域
をもつのである。複数の認識が複合的に機能しているのだと考えなけれ
ばならない場合もあるだろうが，ここでは単純化のため単一の認識をと
りあげることにする。

　教師の教えたいと思う目標の内容と，使用の領域においてほぼ同じ認識が学習者にすでに存在していれば，教師は教授の必要を感じないはずである。したがって，教えたいと思う以上，内容と学習者の認識はことなっているのである。

　そのことなり方には，次のようなものがあろう。まず考えられるのは，関係する学習者の認識がほとんど無いとみなされる場合である。このときには，教材の論理構造がそのまま教授と学習の内容および方法となることは理由のあることである。第2に考えられるのは，関係する学習者の認識が，教師の考えるものに対して，狭い使用の領域しかもっていない場合である。あってはいるけれどもまだ不十分な認識といった場合である。このときは，例をあげるなどして，使用の領域を広げるという方法がとられるであろう。

　第3は，関係する学習者の認識が学習者によって広すぎるところまで使われている場合である。この場合，教師は適用限界を学習させようとするであろう。

　第4は，教師の考えるものと，学習者の認識とが，その使用の領域において，一部分だけ重なるものである。ある程度あっていて，ある程度間違っている認識である。あっているところと間違っているところの例をあげ，その理由を示すなどして修正するといった方法がとられることになろう。第5は，まったく重なりあう部分をもたない場合である。このときは，例や理由をあげるなどして，否定していくことになろう。

　当然のことであるが，教授活動は以上のように，教えたいと思う内容と学習者の状態によって影響をうけるのである。また，第2の場合などは，使用の領域ということで考えないと，ともすれば学習はできあがっているとみなされて指導がなおざりにされがちなのである。

　認識がその意味するところのものすなわち内包と，その使用される領域すなわち外延とをもつと考えたとき，これまで述べてきたことは，外

延に関することだけだと思われるかもしれない。しかし，内包というとき，それはそれ自体だけで意味を明確にすることは可能ではないのである。意味内容の相違は，必ず外延の相違となってあらわれるであろう。内包と外延はわかちがたいのである。

　使用の領域が，拡張されたり，修正されたり，否定されたりするとき，内容もまたことなってくるのである。いま酸が金属をとかすという認識，レモンのすっぱさは酸であるという認識が，すでにある学習者に存在していたとしても，レモンがマグネシウムをとかすだろうということには，その学習者は必ずしも同意しないかもしれない。そしてこのレモンとマグネシウムの事例によって，使用の領域が拡張されたとき，認識はたとえ以前のものと同じ言語的表現になったとしても，内包はことなったものとなっているであろう。たとえば，金属や酸に対するイメージは以前のものと同じではなくなっているだろう。したがって，使用の領域で考えることは，内包を無視していることでは決してないのである。

　このように考えてくれば，よき学習とは，学習者が教師の考えていることと言語的に同じ表現をするようになることだとか，ある狭い領域について正しく答えられるようになるといったことだなどとは考えられなくなる。よき学習とは，学習したものを十分に使用できることまたはそうしそうな状態なのである。「十分」にというのは，学習されたものが使用可能な領域だけでなく実は使用できないはずの領域にまで使用しようとする傾向も含んでいる（これは先ほどの学習者の第3の状態ということになる）。この傾向は，決してまずいことではなく，むしろ次の学習の機会なのだと考えられる。

　ある領域で使用できないと知ることは，内包をより正確にする学習の機会となるであろうし，以前の認識では使用できない領域でも使用できるように，修正されたまたは複合的な認識を作りあげる学習の機会となり得るのである。

　よき学習とは，ひ弱な正しさというよりは，強力な認識を得ることなのである。それは，教師の教材解釈の深さ，その選択眼のたしかさと，学習者の状態をよく把握することに基盤をおいているのである。

方法学は存在するか　よく選ばれ配列された目標群を子どものよい学習に帰結させるためには，教材解釈・教材つくりを進め，子どもの学習状態を深くとらえていく教師の力量が大切であるとのべた。

　ところで，教育学では，この目標(内容)論，教材論と区別して，もうひとつ狭義の教育方法学，すなわち，教授法・学習指導法・授業論といった領域を設定し，この部分をマスターすることがよき学習をみちびくための教師の不可欠の教養であるとする考え方がある。ヘルバルト派の5段階教授法といった古典的なものからはじまって，問題解決学習法，系統学習，チーム・ティーチング，プログラム学習，生活綴方的方法など，古くから「教育学（pedagogy）」とよばれてきたものの多くは，これらの方法学である。この方法学は，教科別になると，たとえば国語科における三読法，一読総合法，主体よみ，などといったかたちで提案されてきた。

　もし教授と学習の過程が，よくつくられた教材を入口から出口へとむかってたどることにつきるならば，これまでのもろもろの教育方法学は結局のところ教材論に還元されるのであって，その一側面をとりだしたという以上のものではないことになるだろう。

　じっさい，ヘルバルトの教授法は数学と自然科学，問題解決学習はソシアル・スタディズというふうに，歴史的にみると，これらの方法学のあれこれは，教授の内容つまり目標および教材との深い関連のなかで提起されてきたものなのである。それゆえ，ぜひ教えなければならないとされる目標や，これに対応する整合的な唯一無二の教材づくりがありうるといった，どちらかといえば「工学的なアプローチ」に懐疑的な人びと

は，この方法学の成立に対しても疑問を呈してきたのである。後者について いえば，子どもは白紙ではなくひとりひとりちがった学習の状態を もつものである以上，なにを学習させえたかという側面から構想しうる 客観的で整合的な方法学などというものは，極言すれば存在しえようも ないだろう。

指導過程と学習形態の理論　では，ヘルバルト以来の方法学の歴史はす べて虚妄だったのだろうか。そういいきっ てしまうのは，極言にすぎるだろう。教育の成否は教育愛（アガペの 愛）につきるという命題は正しいが，愛にはかたちが与えられなければ ならない。方法の問題は，たしかに，教材論のひとつの側面をとりだし たものである。しかし，そのとりだしかたをめぐっておこる理論問題は 決してどうでもよいものではない。

　第1に，なるほど，たとえば三読法という国語科読み方の方法は，言 語作品のかたちをとっている読み方教材の内在的にもつ構造上の特徴に 規定されて，論理必然的に成立しうる方法である。しかしながら，逆の 例として，今日広く採用されている班学習という方法のばあいを考えて みよう。この方法は，人間の認識活動が本来的に社会的なものであると いう認識活動一般の特質のうえになりたっている方法であって，教材の あれこれがもっている内在的論理の所産ではない。最初の回はグー，2 回目はパー，3回目はチョキという「手のあげさせ方」の方法にいたっ ては，現代学校が学級を単位としているところから派生してきた教師の 学習指導の方法であって，個人教授であれば，同じ教材であってもその 成立の基盤はなくなってしまう性格のものである。

　また，第2に，なるほど子どもの学習状態は白紙ではなく，一人一人 異なる。しかし，共通部分もないわけではない。古典的な教育学では， この共通部分は自然状態で子どもに備わっているものと考えられてい た。ペスタロッチの真観教授の原理やヘルバルト派の5段階教授法は，

そういう共通の心性をいささか哲学的な同時代の心理学の力をかりて想定し，そのうえに「普遍妥当的」な教育学を考えてきた。しかし，今日では，この共通部分は，多分に歴史的，社会的なものとされている。本書の序文（「はじめに」）でも問題にしたような「教育貧乏物語」のつくりだす子どもの学力と人格の商品化と画一化，教師と子どもの人間関係の形式化，といった性質の心性の共通部分のひろがりは，今日のその代表的なものであろう。そして，この共通部分のひろがりは，逆に，その圧力をおさえて，教材の内包する論理を内包しているままにひきだし，子どもの使用の領域を改造していく力として定着させていくための学習の姿勢をつくりだす特別の工夫の必要を必然化するのである。

　共通の方法の固有に必要な領域は，全体からみれば部分的で，特例に属するものかもしれない。しかし，それならそれなりの限定づきで，方法学確立の固有の基盤をさぐっていけばよいのである。

　この方法の領域は，教師の側からみれば，ひとまとまりの単元を指導していく指導過程であり，子どもの方からみれば，現代学校は学級編成のかたちをとっているから学習形態の展開される分野である。そこで，この方法学を，指導過程と学習形態の理論とよぶこともできよう。

　学級をつくっている子どもたちは，学習犬や学習ラットではなく社会生活をしている人間である。そうだとすると，現代学校の学級はどこでも二重構造になっていて，そこには，学習集団と生活集団の２つがおりなって存在しているとみなければならない。前者を特にクラス（class）とよび，後者をホーム・ルーム（home-room）とよぶばあいがある。現代教育における教育貧乏のダイナミックスは，教師が意図するまえに，子どものこの二重構造をなす集団の底辺部分を通って教授＝学習過程に入りこんでくる。生活集団を直接の指導の対象にするのは，教授活動ではなく，訓育活動である。そうすると，指導過程と学習形態の理論は，本書でも後述するこの訓育問題も視野にいれながら考えていかなけ

ればならない分野ということになってくるだろう。

教授の評価　　評価 (evaluation) というと，学期や学年末の子どもの学力の配点のことと考えるかもしれない。このしごとを評定とよぶ。評定も評価のひとつの分野であるが，教授の評価といったばあいは，これにつきるのではない。それは，教師のおこなう教授活動そのもの，つまり，教師が子どもになにを教ええたかのねぶみでもあって，目標設定の妥当性（それは目標の内容を特色づける教師の科学観や芸術思想の問題も含む）の評価，教材の評価，指導過程や学習形態の適否の評価など，さらには学校財政や教育計画の適否など政策評価をも含むのである。しかし，評価は，直接には，教授活動にともなって働く身近かな作用である。教師たちは，授業がひとくぎり終ると，子どもに質問し，あるいはかれらの物ごしや顔つきなどをうかがって，教えようとしたことが学習されたかどうかをたしかめてから，次に進む。あるいは，もう一度くりかえす。授業のどの部分をとってもみられるこのフィード・バックのしごとが，教授の評価の原型である。そこで，教授とその評価活動には，その担い手である教師のもっている主体的な要因がどうしても入りこんでくる。

教授の評価は，直接には，教材解釈の概念的な検討や，目標とされる能力の一般論などではなくて，具体的な教授と教授活動をとりあつかうのである。したがって，教師の具体的な決定やその実現の仕方の機構にふれるものでなければならない。もしそうでなければ，教授改善の有効な情報とはなり得ないであろう。

いわゆる客観的な分析方法として，教師と学習者の発言比を求めたり，教師の発問や学習者の発言の形式を分類することなどによって，教授，学習過程のよしあしを形態的に定めようという考えがある。これらの方法によって得られる情報は，教師の決定や実現の機構にふれないという意味で，教授改善の情報としては間接的すぎると考えられるのである。

教師の決定の仕方や，それの具体化の仕方には一見教授とはあまり関係のなさそうな要因までからむのであり，この意味において，教授はただの教え方ということではないのである。科学が絶対的なものであるか，相対的なものであるかと考えることによって，科学のプロダクトや系統性を過度に重視したり，探究の姿勢を強調したりする教授になるかもしれない。ある曲を歌うことが，作曲されたものの再生であるのか，再創造であるのかといった考えの相違は，教授の違いとなってあらわれないわけはないであろう。また，学習者が白紙であると考えるのと，ある程度の認識をもった存在であると考えるのとでは，やはり教授の相違をもたらすであろう。このように，狭い意味での教え方をこえた要因が，教授には入り込むのである。言い方を変えれば，ある教授には，意識されるされないとにかかわらず，教師の科学観，芸術観，子ども観などなどが，反映されているのである。

とくに，学習観についていえば，種々の現実の教授のなかでもちいられている学習のさせ方は多様であって，心理学の現在の学習理論をこえているのであって，教授活動を学習理論の方にあわせるといったことがなされてはならないだろう。むしろ学習理論のたりなさをおぎなって，統合的にみることができる視点が必要なのであり，現実の教授活動から触発された考えを，学習理論と相互作用させることが重要なのである。他の要因に関しても同様のことがいえよう。

評価の方法　教師が日常意識，無意識のうちにおこなっている上記のような性質のフィード・バックのしごとをとりたてて取り出し，自覚化させ，できるかぎり客観的に方法化しようというのが，評価の方法論である。

評価論は，測定論と評定尺度論と評価行政論の3分野からなる。

測定論は，評定を妥当性があり，かつ客観的におこなうための道具と道具の使用の手続きにかんする理論と技術である。18世紀以来のその

歴史は，客観テストとよばれる測定の道具についての考え方をうみ，今日ひろく採用されている。客観テストの研究が追求してきたことは，人間の能力や人格行動の測定（measurment）を客観化することであった。しかし，客観性と同時に，人間発達を求める教育の場でこれを使用するのだというその妥当性の追求も，教育の測定論の忘れてならない要件である。現代学校という場に妥当性をもつテストは，子どもの生来の学習能力を調べるテストではなくて，教授活動が，かれらの学習能力になにをつけ加え，学ばせえているかを調べるテストでなければならないだろう。そうでなければ，教授活動のつくりだす子どもの学力と学習過程を改革するための情報を提供できる測定の道具にはなりえない。

　測定の結果えられる子どもの学力と学習に関する情報をどう判断し，そこから次の教授活動にむかってどのような決定をひきだすかが評価であるが，その判断と決定の基準に関する理論が評定尺度論である。

　なにを原点にして尺度をつくるか，その尺度上の得点分布の型としてどのような曲線を採用するかが，評定尺度の問題である。この原点を到達点として明示するか，明示するとすれば，それをどうやって決定するか，それとも，これを不可知なものとして空洞化するか，またこの尺度によって評定される子どもの学力と学習の状態を子どもの生来の素質のあらわれとみるか，逆に教授と学習の産物とみるか，などによって評価の方法はちがったものになる。今日，評価の方法としては，絶対評価法，相対評価法，到達度評価法の三つが知られており，それぞれの優劣がきそわれている。評定尺度をどうつくるかの問題は，じつは，まえにのべたように，目標をどう設定するかの問題とウラオモテの関係にある。そして，後者の基礎論は教育的価値論である。評価の方法という一見技術的なことのようにみえる問題も，たえず，教育活動一般にとってのこの本質問題にたちかえって考えてみなければならない。

　学校教育の目標管理の行政機構として文部省の『学習指導要領』とそ

の運用がある。それと同じ役目を，評価行政の領域でおこなっているの
が児童・生徒『指導要録』である。日本のそれは，第2次世界大戦前か
ら後にかけて絶対評価法から正常分配（ガウス）曲線利用の5段階相対
評価法へとかわってきた。指導要録のあり方は，子どもに渡される通知
表や日々のテストの形式に有形無形の影響を与えるだけでなく，入学試
験その他にも利用される，子ども，青年の一種の教育戸籍簿の役割をは
たしている。その形式，その評価法，その利用のルールが現状のままで
いいかどうかが，ながく検討の対象となっている。

◙参考文献◙

◇東洋編著『教授と学習』教育学叢書 10，第一法規，1968 年。
◇東洋「教授学の構想」『教育学の理論』教育学全集 1，小学館，1967 年。
◇ブルーナ，J. S.『教授理論の建設』（田浦他訳）黎明書房，1966 年。
◇波多野完治編『授業分析の方法』授業の科学第 7 巻，国土社，1963 年。
◇細谷純「理科教材の構造とその構成」波多野他編『教科の論理と心理
　　── 5 理科論』明治図書，1968 年。
◇斎藤喜博『教育学のすすめ』筑摩書房，1969 年。
◇高橋金三郎・細谷純編『極地方式入門』国土社，1974 年。
◇吉田章宏『授業の心理学をめざして』国土社，1975 年。
◇中内敏夫『教材と教具の理論』有斐閣，1978 年。
◇鈴木秀一『教育方法の思想と歴史』青木書店，1978 年。
◇中内敏夫『学力と評価の理論』増補版，国土社，1976 年。

3 体育と学校

国民の健康と体力の現状

わが国民の平均寿命は年々のび，世界一流国となっているが，一方国民の健康と体力 (physical fitness) は決して向上しているとはいえない現状である。

オートメーション労働においても，オフィス労働においても，単調労働に伴う精神的ストレスや生活のなかでの欲求不満・不安による精神的ストレスが増大している。この上に運動不足が加わって，高血圧や心臓病，動脈硬化症や心筋梗塞，糖尿病や腰痛症，さらにはセミノイローゼなどといわれる文明病がひろがり，大きな社会問題となってきている[1]。

同様な傾向は青少年についてもみられ，むし歯・近視の増加におとらず，胃かいよう，側彎症，高血圧，体力不足，もろい骨などの増加が問題となっている[2]。

さらに文部省統計からも，青少年の身長が年々増加している反面，1970年代になって背筋力の低下がいちじるしいことが分析されてきており，この背筋力の低下によって直立姿勢を長く保つことが困難となるばかりではなく，運動や労働を億劫がらせたり，労働意欲を喪失させることになり，さらにそのことが背筋力をいっそう低下させるという悪循環を生じることが心配されている[3]。

またオリンピックの結果にみられる競技力についての国際的な水準の

低下に関しても，社会的な問題となっている。

このような国民の健康と体力の低下は，日本の国民がいまだ経験したことのないような生活や環境の変化によるものであり，さらに学校と地域社会における教育力の低下や公的な運動施設の不足は，このような傾向をいっそう促進している。

競技力の低下も基本的には，これらの原因と無関係ではない。

国民の体育要求と課題 以上のような国民の健康と体力の現状，さらには競技力の現状に対して，もっと元気で働きたい，若々しくありたい，長生きをして豊かな人生を送りたいという要求，さらには国際競技においてももっとよい成績をおさめてもらいたいという要求は，非常に高まってきている。

今までは，国民大衆の健康と体力を向上させ，国民に広くスポーツを普及するということを犠牲にして，一部選手の競技力を向上させ，国際的にもスポーツの水準を一定程度維持してきていた。しかしながら，両者のよりいっそうの低下に直面して，スポーツの水準を維持し，より高度に発展させられる基礎は，スポーツがもっと国民の間に拡がることにあるということが理解されるようになってきている。

また，スポーツの高度な局面においても，人間の能力のより全面的な開花が求められており，それは民主的な人間関係のなかで，しかも主体的な，創造的な，科学的なとりくみによって達成できるものであることが，次第に理解されてきている。つまり，国民が健康を回復し，より向上させていく場合でも，体力の低下をくいとめ，より向上させていく場合でも，また，スポーツの初歩的技能を獲得する場合でも，さらに，より高度な能力に発展させていく場合でも，その根底には，教育学的な原理が貫徹されていることが，次第に明らかになってきているのである。

国民の体育要求としては，直接的には，みずからの健康と体力を向上させること，さらにスポーツ文化を身につけることが求められているが，

その要求がわが国の現状の中で満たされるためには，健康と体力の現状を認識し，それらの改善の方法を理解すること，さらには，スポーツの実行を権利として自覚し，その実行をさまたげている諸条件を集団的に改善していける能力を身につけることが必要となる。したがって，学校教育においては，これらの条件を満たす教授・学習が確実に組織されること，また学校生活のなかで保健体育的な諸活動が組織されること，それらを通して，可能な限り，健康・体力・運動能力を発達させることが期待されているのである。

必修教科としての体育　わが国の学校で，教科 (school subject) として「体育」(physical education) がおかれるようになったのは，「学制」(1872 年) 以来である (下等小学〔6〜9 歳〕，上等小学〔10〜13 歳〕の教科として「体術」がおかれた)。しかしながら，当時の時間割をみると，毎日他の教科と教科との間で 5 分間ずつ 3 回実施するという例もあり4)，学校で知識の獲得を十分におこなわせるための気晴らしと健康の保持が，この教科に期待されていたのである。

この教科が，必須教科となったのは，1886 年「小学校令」(高等小学校のみ必須)「中学校令」においてであり，尋常小学校においても必須教科となったのは，1900 年「小学校令」の改正からである。

高等小学校での「体操」科の内容は，遊戯，軽体操，隊列運動 (のちに兵式体操となる) であり，中学校での内容は，普通体操と兵式体操とであった。

このように，この教科の内容として「兵式体操」が加えられた背景には，1883 年の徴兵令の改正により，男子の中等学校に歩兵操練科を課さなければならない規定となったこともあるが，当時の文相・森有礼が，この「兵式体操」によって，国家として必要な人格である〝従順〟〝友情〟〝威儀〟が育成できるという期待をかけたことに注目しなくてはならない5)。

また 1941 年「国民学校令」においては,「体錬科」となり,そこで
は「身体を鍛錬し精神を錬磨して濶達剛健なる心身を育成し献身奉公の
実践力を培う」ことが期待された。

ところが,戦後においては,第 1 次米国教育使節団の報告書『平和国
家への道』(1946 年)で指摘されたように,スポーツを中心とした教育
によって民主主義的な人格が育てられることが期待され,体育の固有の
価値として,身体的な発達に加えて,スポーツマンシップと協同精神を
育てることが注目された。

このように,教科としての「体育」に対しては,身体を発達させると
いうことにとどまらず,精神的な,人格的な発達が期待されてきた。し
かしながら,これらは教材の質によって形成されるものなのか,あるい
はそれが学習される人間関係によって形成されるものなのか,さらにあ
るいはこれらの総合作用によって形成されるものなのかが,改めて問わ
れることになった。

1949 年新制大学の発足とともに,大学においても「体育」は正課必
修教科として位置づけられ,小学から大学までのすべての学校において
体育(中学以上は「保健体育」)は全員が履修する教科となったのである。

体育必修をめぐって 体育が必修の教科であることに対して,近年いく
つかの見解が出されるようになった。

1961 年 6 月,日本学術会議会長より内閣総理大臣宛に勧告が出され,
大学において「保健体育は単位制度からはずし,学生の保健指導,健康
管理の面から別途そのあり方を再検討……」という提言がおこなわれ
た。また,1970 年 5 月,文部省中央教育審議会が「高等教育の改革に
関する基本構想(中間報告)」において,大学では保健体育について課
外の体育活動に対する指導と全学生に対する保健管理の徹底によってそ
の充実をはかることとし,保健体育科目が正課必修となっているのはあ
まりに画一的であるから,必修とするかどうかを各機関の自由裁量にま

かせるべきだとする〝弾力的制度〟を示唆した。

　この中教審の中間報告に対しては，日本体育学会が「本学会の『意見』に関する説明資料」[6]において，このような弾力的制度は，学生の現在および将来はもとより，国の将来にもかかわる重大な問題を内蔵するものであるとして反対の意見を表明したのであった。

　さらに，1974年5月，日教組教育制度検討委員会の最終報告『日本の教育改革を求めて』（勁草書房）においては，国民的教養の個性的開花を期待して，学校教育の初期の段階（第1〜3階梯・小1〜中3）では体育を選択共通教科とし，第4階梯（高校）では全くの選択教科として位置づけているのである。ところが，同中央教育課程検討委員会報告「教育課程改革試案」[7]においては，上の教育改革案を体育についての偏食・欠食を認めるものとして修正し，保健・体育科は全階梯で共通教科（必修）としておくこととし，高校1年までは男女共学として全員に共通の教材を学習させ，体育についての国民的教養を共有できるようにさせたいという考え方を提案している。また体育の「授業」時間内で体力や技能を一定の水準に高めるという目標を直接追求するのではなく，これらに到達するための手ほどきを行ない，方法を習得させることを主なねらいとする必要があるという考え方を提案している。しかしながら，わが国における社会体育は，施設においても，指導者においても，非常に不足しているという現状を考えると，どうしても，一定水準までの技能や運動能力に到達させることが社会的に期待されていると考えると，授業でうけた手ほどきを練習し，発展させていくために午後の時間などを週2回設定することが必要であるとしている。このように，「授業」と「練習・発展の時間」を区別しようとする考え方は，体育科が技能教科とみられていたものから，次第に体力形成教科とされ，体育に関する文化が十分に教授・学習されなくなってきている傾向に対して，「授業」というのは何をする時間なのかを改めて問い直すという意味をもつだろう。

クラブ活動の歩み 学校では，教科の授業以外に，さまざまな活動がおこなわれ，これらがあいまって学校に対する社会からの期待にこたえている。

わが国において，学校のなかで教科以外にスポーツなどの体育運動がおこなわれるようになったのは，明治初年代からであり，これには外国人教師による紹介・指導が大きな役割を果たした。とくに大学・高専において課外のスポーツ組織が結成されることになり，わが国の近代スポーツ展開の主流を占めるものとなった[8]。

課外のクラブ活動は，戦後「自由研究」として出発した。この時間は，「自発的な活動のなされる余裕の時間として，個性の伸長に資し，教科の時間では伸ばしがたい活動」のために用いることとされた。しかしながら，わが国の学校の施設・人的条件からクラブ活動に全校生徒を組織することは困難であり，一部の選手を中心としたクラブ活動となってしまった。

このような状況に加えて，1965年国際労働機構（ILO）第87号条約の批准，1966年 ILO゠ユネスコの「教員の地位に関する勧告」などを契機に，クラブ活動の指導と勤務時間の問題がおこった。さらに，1967年，熊本市藤園中学校における柔道クラブ活動中の傷害事故に際し，指導担当教師に対して勤務時間外でも安全保持義務の責任が問われたこと[9]などから，課外のクラブ活動を学校の責任外とし，社会教育へ移行させようとする傾向が生まれるに至った。

このような事情のなかで，文部省は学習指導要領を，1968年小学校，1969年中学校，1970年高等学校について，それぞれ改訂告示したが，これらでは，小学4年以上，中・高校を通じてクラブ活動を全員必修とし，週間授業時間表に組み込んで実施することにした。また従来の運動部は各学校の事態や教育方針に基づいて行なう活動であるとして，**学習指導要領には位置づけられなかった。**

　ところが，各学校においては，クラブ活動の必修化が施設・用具・指導体制などの実施条件が不備のままで実行に移されたため，多くの矛盾・混乱が生まれている。さらにこれへの出欠をとり，評定をし，卒業条件とするということが多くの議論をよんでいる。また運動部の位置づけをめぐって，さまざまな対応が生まれている。

課外活動についての模索　課外活動についての以上のような状況のなかで，たとえば中学校の運動部組織をそのまま「スポーツ少年団」としようとするもの（栃木県），社会体育のクラブをつくり，そこに運動部を吸収しようとするもの（岐阜・長良中，熊本・京陵中），また中学校体育施設をコミュニティセンターとして整備して，運動部を社会体育に移行したもの（兵庫・明石市）などがある[10]。

　一方，日教組は，1970年の第38回定期大会で「教職員の労働時間と賃金のあり方」を決定したが，その中で「とくに課外のクラブ活動指導については，本来社会教育の範囲に属するものであるという基本にたって……」「課外のクラブ活動指導は，……当面時間外にわたる指導を排除し，時間内については本務として位置づけ……」という考え方を示した。ところが，クラブ活動必修化をめぐっての学校での混乱と，部活動によせる生徒・父母の強い要望に直面して，1972年にはクラブ活動全員必修押しつけ排除の方針をきめ，さらに1973年には，生徒の要求する自主的・民主的クラブ活動を活発にするため，施設，設備，教員配置など条件整備を要求するとともに，地域の社会教育・体育の施設設備，指導員等の改善充実について対自治体闘争を強化するという運動方針をたて，教職員組合としては，学校の内・外において，生徒の体育運動を保障するという立場に立つことになった[11]。

　このように，課外における体育活動をめぐって，学習指導要領の法的拘束性がどこまで及ぶのかという問題，学校は一体何をするところなのかという理念問題，時間外勤務とその手当やあるいは課外の指導を専門

とする教職員の配置という制度上の問題，さらに事故災害についての責任に関する問題など，理論的にも，実践的にも解決を迫られている問題が鮮明になってきている。

わが国の体育施設の状況を考えるとき，地域社会において学校という場と機能の果たす役割は依然として大きなものがある。学校教育は地域社会の教育力とともに，子どもの身体を発達させる義務を負わされているのである。

1) 経済企画庁「コミュニティ・スポーツ施設整備計画調査報告書」1974 年。

2) 「特集・ダメ子ども時代」『のびのび』1976 年，朝日新聞社

3) 正木健雄「身体的能力の発達と教育の問題をめぐって」『講座・日本の教育 3・能力と発達』新日本出版社，1976 年。

4) 井上一男『学校体育制度史（増補版）』大修館書店，1970 年。

5) 木村吉次『日本近代体育思想の形成』杏林書院，1975 年。

6) 『体育の科学』21 巻 1 号，1971 年。

7) 『教育評論』1976 年（この報告は，一ツ橋書房から単行本として出版された）。

8) 木下秀明『スポーツの近代日本史』杏林書院，1970 年。

9) 『判例時報』621 号 73 ページ，1971 年。

10) 梅本二郎「課外体育に文部省はどう対処してきたか」『体育の科学』25 巻 9 号，1975 年。

11) 正木健雄「課外活動に日教組はどう対処してきたか」『体育の科学』25 巻 9 号，1975 年。

4 芸術教育と学校

人間と芸術　人間はなぜ絵画や映画，演劇を見たり音楽を聞いたりしたがるのだろうか。また，なぜ小説を読んだり，詩を創作したり，ギターを弾いたり，粘土をこねたりしたがるのだろうか。この点に関して，芸術活動は人間にとって遊び半分の付随的なものではなく，本質的で不可欠な要素であることが多くの人々によって証明されてきた。たとえば，リード（Read, H.）は，芸術が「人類文化の黎明期においては，生存のための鍵であり――生存競争のためになくてはならない諸能力の研磨であった」ことを歴史的に明らかにした。そして，芸術は「いまなお，われわれの感覚がそのために鋭敏に保たれ，われわれの想像力が潑剌と，われわれの推理能力が尖鋭に保たれるはたらきである」[1]とのべ，「いまもって生存のための鍵である」芸術活動の教育的価値を提示している。また，フィッシャー（Fischer, E.）は「芸術は，人類とともに古い。芸術は労働形態の1つであり，労働は，人類特有の活動である。」[2]とのべ，芸術の起源を原始の人間の生活を創造していく過程のなかに見出した。芸術は人間が道具をつくり「手で考え」，労働と発達した脳によって自然を支配し，言語を生み，社会関係を発達させた「魔術的な道具」であったと，かれは考える。この労働をともなう集団生活の中での言語や舞踊，リズミカルな斉唱，呪術的な儀式が一体となっ

たところの人間生活に不可欠の要素が，人間と芸術の原初的関係であった。これらの見解にみられるように，厳しい不安な自然状況の下で握った道具とそれによる労働が自己の生存を確認させ，リアリティの確固たる把握を人間に与えた。道具と労働を具えた homo faber（ものをつくる人間）としての人間は，言語をはじめとした象徴形式をともなうなかで独自の意識と homo sapiens（ものを知る人間）としての能力を発達させ，芸術の世界を分化させたのである。

芸術による教育 ものをつくりだす，制作する，表現するという活動を理論や実践とならんで人間の知的活動として重視したのはアリストテレスのポイエシス（poiēsis）の概念である。これが提出する教育の思想は，現代のリードの「事物による教育」思想にまで続く考えである。また，古代ギリシヤ人にとっては，善と美とは原理的に同一のものであった。それによって心身の調和のとれた理想的人間の形成をめざすカロカガティア（kalokāgathiā）の思想による美的教育の考えは，ながくヨーロッパの精神形成史の底流をなしてきた。知育，徳育，体育とならんで美育という人間形成のしかたが昔から存在したように，芸術が教育の基礎にならなければならないとする考えは，これらポイエシスやカロカガティアの思想からくるものである。

この思想は，学校教育の現場に入ると芸術による教育（education through art）という思想となり，教育課程全体を貫く編成原理として芸術の機能が注目されることになるのである。この主張は，芸術は先史以来，人間に不可欠のものであるという哲学をともなっていろいろの機会に現われた。あるばあいには，形式化した知育偏重・論理的教育への批判として活動したし，芸術の創造的機能のなかに記憶，想像，思考といった感性と知性の両面を含む形式陶冶的能力の伸長をもたらす存在として注目されたこともあった。じっさい，学校教育が今日のようなかたちで成立する以前から人々はいろいろな機会に事物を通して美意識を発達

させる工夫をしてきた。たとえば，日本の農民は自給自足的生活のなか
で生活必需品や農器具を自らつくり，労働の歌をつくり，子どもたちは
その作り方や歌を学んだり教わったりした。さらに子どもたちは家庭や
地域の祭りや節句など年中行事に参加するなかで，飾り物をつくったり，
手伝っている間に教わったりして技術や歌などを学んでいった。また，
自然の材料を使って季節ごとの遊び道具や歌を工夫し，それが子ども集
団のなかで代々伝えられたように季節の生活と結びついた芸術教育が行
なわれていた。この遊びや労働と結びついた教育を通して，技術の修練
と美意識の発達が不可分のものとして獲得されていたのである。

　art という言葉に同時に含まれる技術的なものと芸術的なものはイギ
リスにあっては産業革命を契機に職人（artisan）と芸術家（artist）とい
うふうに分化していった。生活と労働から分離した美的(aesthetic)な芸
術は資本主義社会の商業主義と結びついて生命力を失い，皮相な実用主
義に陥っていった。芸術が学校で教えられるようになるのは古いことで
はなく 19 世紀に入ってからで，それは芸術が生活と労働から独立して
独自の価値をもつようになったことと無関係ではない。

芸術的価値と公教育　芸術は教えられるかという問いは，芸術的価値が
個人によって異なるものであり強制されない性質
のものであるがゆえに，道徳の場合と同様，いつも発せられるのである。
それとともに指導をなるべく排した教えない美育という考えや，有島武
郎の『生まれ出づる悩み』にえがかれているような，自然との闘いのな
かで芸術的才能を伸ばすという考え方も生まれるのである。また，芸術
活動は教科外活動 (extra-curricular activities) でおこなうという考えま
で生ずることになる。しかし，近代の公教育制度は各国とも芸術教育を
教科として学校にとり入れてきた。日本においては厳密な意味での芸術
教育は第 2 次大戦後にはじまったと言えるが，戦前にも図画や音楽など

それにつながる教科や部分的には芸術教育の本質を追求する実践も存在していた。日本の学校での芸術教育の出発は，1872（明治5）年の「学制」で小学校の教科として唱歌と図画（罫画）が置かれてからである。それは従来の民衆が生活のなかで学んできた芸術教育とは無縁のもので，欧米社会のものの形式的模倣に依っていた。本来の芸術教育は相かわらず軽視されつづけた。また，日本における芸術教育の特殊的問題として伝統的な民族芸術と移入された西洋芸術との間をつなぐ教材（subject matter）選択上のむずかしさという事態があった。結局のところ，民衆が日常生活のなかで歌ってきた力強いリズムは無視され，和洋折衷の独特の音楽が「唱歌」の名前で成立した。それは芸術音楽の価値とは切り離されたところに教育音楽として成立せしめられたものであり，同時代の国の教育政策や教員養成政策がこの隔絶をさらにおし進めた。そういう音楽は結局根づかず，「学校唱歌校門を出でず」と言われるような事態が生まれてくるのである。図画の場合も「眼及手ヲ練習シテ通常ノ形体ヲ看取シテ正シク之ヲ画クノ能ヲ養ヒ――」というように芸術教育からはほど遠い実用主義的なものであった。伝統的な形体模倣の訓練の影響もあるにはあったが，日本の伝統芸術は無視され，ヨーロッパの写実主義の精神のぬけおちた形式的方法だけがとり入れられた。それとともに，明治期の芸術教育は修身や教育勅語の傘下におかれてイデオロギー的性格をおびた情操教育に陥った。それは，さらに学校行事や儀式を通して国民の美意識だけでなく，人格形成にも影響を与えていった。

芸術教育運動　芸術と教育は，両方とも画一性や外からの強制，権威を嫌い，個性や多様性，創造性を求める傾向がある。そういう意味で同質性があるにもかかわらず，日本にあっては長く芸術的価値は教育の世界から隔絶されていた。たとえば，芸術愛好の教師は教師らしからぬ教師として世間からも教育界からも白眼視された。明治期の実用主義的動機による学習や管理主義の教育の傾向に対し，子ども

の個性や能力，才能に注目し，その尊重を叫びはじめたのは公教育内の
教師ではなく，公教育（public education）外の芸術家たちであった。そ
れは日本と同様に急速な近代化を進めたロシアにおいてもトルストイの
ような芸術家が教育論を発表し新しく学校を作ったのと同じ状況である。
日本では 1910〜20 年代に 芸術教育運動という形で この問題がとりあげ
られた。詩人の北原白秋は論文「小学唱歌歌詞批判」で文部省唱歌の教
訓的歌詞を「美無く生命無く童心無き」「不純蕪雑拙劣」なものと批判
し「童心童語」の歌謡を数多く発表した。また，子どもの生活感情を尊
重して日本の伝統的なわらべ唄を発掘し，山田耕筰や成田為三らの作曲
で芸術性の高い童謡が数多く生み出された。しかし，この新鮮な多くの
人々に歌われた童謡も学校の教育課程に組織化されるまでには至らなか
った。一方，図画教育においては画家の山本鼎が文部省の臨本模写の教
育に対して臨物による「自由画」の運動を興した。それは，「大人によ
って技巧化された抽象的な実相」の教材と子どもの実感を無視した教授
法を徹底的に批判するなかで，本来の美術教育の確立をめざしたもので
あった。この思想と運動は公立学校の内部にまで持ち込まれ他教科にも
影響を与えた。同じ時期により大きな影響力を持っていたのが作家の鈴
木三重吉による雑誌『赤い鳥』による綴方運動である。これは俗悪本の
お伽噺に対し「児童読みものの文学的水準を高める」意図で始められ，
児童文化の質を高めるとともに，とくに綴方では文芸的リアリズムの綴
方を発展させた。このようにして，この時期，隔絶されてきた教育と芸
術的価値とを文章や絵，歌を通して結びあわせようとする試みがおこな
われた。また，雑誌『白樺』の読者だった教師のなかには，教室に高度
な鑑賞教材を持ち込むものもいたし，私立の成城小学校のように，図画
を美術，唱歌を音楽とよびかえる学校も出てきたのである。

学校の芸術教育　　しかし，芸術教育が学校でより大規模に盛んになる
　　　　　　　　　のは第 2 次大戦後のことである。人間形成にとって

芸術教育が学校教育の大事な柱であると考えられるようになっただけで
なく，久保貞次郎らの創造美育の運動をきっかけに子どもの絵が街々を
飾り，音楽の才能教育がブームになるというように，社会においても戦
前には見られぬ活況を呈した。しかし，経済成長と人的能力市場にみあ
った受験競争が激化するにともなって，いわゆる主要教科に対して芸術
教育は周辺教科に追いやられ，生徒にとって競争の重苦しい圧迫からの
一時の解放という，楽しいがどうでもよい時間となっていった。また一
方，大学受験にみられる芸術系大学の激しい倍率は新しい型の貧困にお
びやかされている現代日本の芸術教育の矛盾と混乱を示している。

　文部省の『学習指導要領』がくり返し説いた「美的情操を養う」とい
う芸術科の目標は，教科そのものの性格を，永い試行ののちに誕生し
ようとする直前でいつもあいまいなものにしてきた。芸術教科としての
独自の市民権を獲得する実践をこの分野で進めてきたのは，いつものこ
とながら民間の教育研究諸団体であった。それらに共通してみられるの
は，日本の文化遺産の継承を視野に入れ，子どもの生活と遊離しない教
育をめざし，また，子どもの認識と表現の構造を明らかにしながらその
発達段階 (developmental stage) に応じた系統的な教育内容の編成をお
こなうという視点である。よく知られているものとしては，わらべ唄を
教育の現場に持ち込むことや，コダーイ芸術研究所の音楽教育研究，斎
藤喜博の子どもの表現の質を問う合唱の実践などがあり，また，戦前来
の生活画の伝統をひいて系統的な指導体系をめざす新しい絵の会や教育
版画の実践などがある。そこには知育や情操だけでなく人間として社会
に生きていく上で必要な「全人間性の基礎となるヒューマニズムの養
成」がめざされている。

芸術教育への示唆　　まえにも言及したスイスの動物学者ポルトマン
(Portmann, A.) は，子どもの絵についても興味ある
観察をしている。人間にとって積極的に対象物を写生する衝動は生後 2，

3年ごろからはじまり生後7年から10年ごろの青春期前に消えてしまうが，それは人間の「脳髄の形成という重大な時期」と重なっている。この時期において「言語のくみたて全体の習得，絵を画くことによる客観的な表現能力の発達，言語の命名するはたらきが固定され」，自分のまわりのものごとの体験がふかまり，その後の発達に重要な意味をもってくる。そして，これらの能力の形成のためには「とぼしい本能によって固定された行動様式しかもたない哺乳類」とは異なって，「練習しながらほんとうに人間的な可能性を成熟させつつ発達する人間」にとって，どんなにながい時間が必要であるかをかれは述べている[3]。人間のもっとも人間的な能力はながい，それでいて多面的で多様な練習と技術によって獲得されるのである。そうだとすると画一化し，そのうえで音楽や絵画などわざの教育を軽視している現代の教育は，人間のなかのどういう能力をひき出しているということになるだろうか。また，まえにのべたフィッシャーは「集団労働の過程には，労働を整合させるためのリズムが必要」で，「この労働に適したリズム」は，「明瞭な発音を伴う斉唱」によって保たれている[4]と，古代の人間にとって不可欠であった歌の性格についてのべている。人間の内発的なリズムは，労働という集団活動のなかで統合され，よりすぐれた技術によって豊かさと深さを増していく。ここには，音楽の本質とそのあるべき姿が示されている。合唱における集団と個性，統一性と多様性の問題が示唆され，今日の個人の「才能開発」におちいりがちな芸術教育に問題を投げかけている。

芸術教育の構造　教育学者の勝田守一は，人間の能力の全体構造を「労働の能力」「社会的能力」「認識の能力」と「世界の状況に感応し，これを表現する能力」である芸術的表現能力の4つに分けて説明した。この最後の能力は「既成のジャンルの芸術にかかわる能力に限定」せず，「もっと広い人間的な力」で，「世界に感応しながら，表現し，逆に表現によって感動を豊かにする能力」なのである。

そしてこれは「自分をとりまく人間と社会のなかでしか育たない」[5] と
かれはいう。ここで示されている「感応，表現の能力」は今までみてき
たように人間の生活や労働と不可分に結びついていたものであり，そこ
からいろいろな芸術が生まれてきた。それゆえに，この能力を「科学的
認識能力の土台」であり，「生産労働の能力にとっても，社会的，集団
的能力にとっても基礎」であると考え，人間の能力の全体的な基礎的能
力として，その位置と意味を与える能力モデルの試みも出されている[6]。
近年，いろいろの機会に「感性」の復活が言われ，教育の分野で「想像
力」の回復を求める声が高い。「いまもっとも必要なことは芸術教育を
知的教育全体と対峙させ，その緊張をとおして退廃した知育を救うこと
である」[7] と「感情教育」を強化する必要を説くものもある。「感応と表
現の能力」「イメージの能力」はあらゆる能力の基礎であることをハー
バート・リードはすでに『芸術による教育』などで明らかにしていた。
この問題提起をもう一度，今日の段階で考えなおさなければならない。

1) リード，H.『イコンとイデア』（宇佐見英治訳）みすず書房，1957 年。
2) フィッシャー，E.『芸術はなぜ必要か』（河野徹訳）法政大学出版局，1967
   年。
3) ポルトマン，A.『人間はどこまで動物か』（高木正孝訳）岩波書店，1961
   年。
4) フィッシャー，前出書。
5) 勝田守一『能力と発達と学習』国土社，1964 年。
6) 上野省策・斎藤浩志編著『手の労働としての造形教育』黎明書房，1975
   年。
7) 北田耕也「感情教育序説」『教育』1974 年 10 月号。

5 職業教育と学校

普通教育と職業教育　　　　Ⅲ章1（学校論）でみたように学校が社会諸機能のふくむ世代的な再生作用の分化と外在化の産物であるとすれば，それは本来的に職業能力形成の機能をその契機として成り立っているということになる。学校は，社会・文化諸相のふくむ内在的・直接的な教育（形成）作用の専業的集約としてとらえられた。学校の営為は，本来社会・文化諸過程の必要に対応する立場にたつはずである。

　しかし，このような学校の基本契機にもとづく機能・営為は，一般には，職業教育とは呼ばれず，むしろ職業教育に対置する位置で，普通教育と称されている。たしかにわれわれがすでに見たように，社会の実践諸過程にたいする学校の対応のしかたは，個々の過程に直接的に応ずるのではなく，分業の高度化に対処・対抗する立場で，普遍的・通約的な形態をとった。分業の高度進行と職業の細分化・流動化（職業選択・移動の進展）こそ，各実践過程内部での世代的連続性を削減し，内在的教育（形成）作用を外在化・専業化せしめた基因であった。だが形成されたものは，普遍的形態をとることになった。それを支えたのは知識形態の変化である。

　実践諸過程の内在的形成作用が外在化・集約化された位置をとり，本

来職業能力形成を基本契機とするはずにもかかわらず，そのような学校の基軸的・一般的機能が，職業教育と対置するかたちで普通教育と称されるという事情には，なお考えてみなければならないものが含まれているようである。

まず，いまふれた実践諸過程への対応のしかたの，集約性・通約性という面である。分化・分業化の進んだ実践過程を，全体として共通に代表し集約しうるという機能こそ，新しい課題であり，学校の形成をもたらした基本契機であった。したがってここには，実践諸過程－職業諸分野の変質とその必要への対応が基軸となっているにもかかわらず，その対応には，共通性・普遍性，したがって一種の自由の要素が含まれることになる。すなわちここには，ひとつの新しい教養の形成への契機が生じるのである。ここに注目すべき第1の点がある。

一方，職業教育という呼称には，一般にこういう要素は含まれにくく，職業諸過程への個別的対応を意味する傾向がある。逆にいえば，学校教育の内容には，上のような通約的・集約的な対応を意味する基軸的側面と同時に，さらに個別的・特定的対応の部面がつけ加わることになるということである。

ところで，学校を形成せしめた基軸的契機の性格は，この個別的・特定的対応の部面をも規定している。すなわち，分化と専業的集約化，機能的合理化というその一般的性格である。つまり，知識化・定型化・能率化の方向は，この面にも及ぶ。職業教育は，職業技術教育という名称でも呼ばれるように，技術的・即物的方向をとりがちである。

職業的陶冶と職業教育 そこでもうひとつの問題点が浮かんでくる。というのは，学校が集約し置換したところの，あるいは置換したはずの世界における職業的陶冶とはいかなる性質のものであったか，ということであり，それと職業教育なる呼称の意味内容とのギャップである。

われわれが前節でふれた実践諸過程の内在的・直接的な形成（教育）作用とは，物理的・合理的な方法技術の訓練を含むだけのものではない。職業をとおしての，職業現場における形成・陶冶とは，職業活動に必要な技術と同時に，それぞれの環境条件のかぎりである程度より広くベーシックな資質の陶冶をも含むものであった。すなわちそこでは，職業行為（能力）を軸としながら，なんらかの形で，資質・気質・人間がその圏内になければならなかった。むしろ技の訓練そのものが，よりトータルなものの陶冶なしには成り立ちがたいものと考えられるのがふつうだった。ここには，事物対象にたいする接触・把握・働きかけの独特の方法がよこたわっている。

この辺りの事情は，たとえば職人気質というような言葉にある程度端的に物語られているだろう。ここでは，職人というひとつの職業相と気質が結びつけられ，一定の気質傾向がこの職業相にともなって形成されることが想定されている。

ところが学校教育として定型化されると，職業教育は，一般にこのようなベーシックな周辺領域を削ぎ落されている。すなわち職業教育は，合理化・定型化の回路を経て職業技術教育となる。ここにはまた近代における職業技術そのものの形態や性格の変化も影響している。現場的・直接的形成は間接的・抽出的訓練となる。普通教育ないしは一般教育というものが職業教育と対置される位置で抬頭する問題には，この点も理由として含まれているだろう。

職業教育の3つの側面　すでに以上に述べたところにある程度輪郭が浮かんでいるが，われわれはかくて，広く職業教育に関わるものとして，学校教育のなかにほぼ3つの面をとらえることができる。

1つは，はじめに述べた学校教育の基軸的・一般的機能に属するものである。通約的・集約的なかたちで実践諸過程の要求に対応する面であ

る。

　第2は，いわゆる職業教育，狭義の職業教育の側面。いわば職業教育固有の領域，職業技術教育ともよばれる面。

　さてもう1つ，一般的・全体的陶冶の目的をもって，手工的作業ないし労作を学校教育に導入しようとする系譜がある。

　この第3のものは，ものに触れものに働きかける直接的な製作過程の含む陶冶と教育の作用を強調し，ある程度具体的な手工的作業を学校教育のなかで課そうとする試みである。それは，「手職こそが教える」「職業こそが人間を陶冶する」というような思想を底流に含んでいる。

　そこには，さきに述べた，学校教育内の職業（技術）教育と実践諸過程の内在的な職業的陶冶とのギャップという問題が，その基底によこたわっている。学校論の節で述べた学校の含む2つの契機の観点からすれば，後者の潜在的契機，すなわち学校が直接的な実践過程からの分化と独立（非連続性）を基軸とすればこそ，そこにリアクティヴなかたちではたらく逆の指向性という契機が，この場面にも現われている。

　実践諸過程に内在した職業的陶冶と学校内部の職業教育とのギャップは，たえず学校教育の負荷となり課題となって，この潜在的契機の発動をうながす。これは，学校の基軸的機能たる，通約的・普通的知識による実践諸過程への対応（＝普通教育）という枠をこえ，むしろそれを逆転させるかのように，具体的作業をもって学校教育の中軸にすえようとする試みを度重ねて登場せしめる。

　　　　　　　　　　　　しかしわれわれはなお，第2の職業教育プロパーの分

**職業技術教育
登場の根拠**　　　野に注目しなければ ならない。普通教育という形態で，実践諸過程への通約的対応がおこなわれているはずにもかかわらず，その上に職業（技術）教育なる名称で呼ばれる個別的対応の側面を生じたのには，それなりの理由がなければならない。そもそも，学校というものは，分業の高度化に対応して，ないしは拮抗し

て集約性をこそ基本契機（性格）としたはずであった。

　まずあげられるものは，学校教育の基軸をなすところの事物・実践に対応する知識体系に，大きく2つの層が形成されるようになったという事情である。前節で見たように，知識形態の変化，知識の世界と事物・実践の世界の接近，実践過程からの知識の分化・客観化が，学校教育形成の基軸をなしている。ところが，実践と事物に対応する知識体系の世界は，自然の事物を対象論理的に通貫する体系的・分科的知識（＝自然科学）の層と，実践諸過程の技術の知識的集約としての技術学の層とに分化する傾向を見せる。とくに19世紀に入ってからのこの事態の進行が，職業技術教育の分野の形成にベースを与えている。事物の理解の次元と事物への働きかけの技術の次元とは，知識の世界内部において，ここで再び相対的に別個の分野を形づくる方向にむかい，これが，普通教育と職業教育の分化を推進することになる。

　もう1つの要点は，個々の実践諸過程（職業分野）への具体的・直接的準備（装備）の仕事までが，学校教育に要求されるようになったことである。つまり，職業上に必要な技能の養成の要求が学校にかけられるようになる。いわゆる実技・実習の導入は，この面に対応している。

　技術の装備のために個々の具体的作業（実技）の過程を学校教育内部においてある程度経験（実習）させようというのであって，これは，学校というものの先述の基軸からすれば一種の背理である。しかしこれにもまたそれなりの理由がある。

　工場内における分業（作業分化）の進展と機械の導入は，たしかに伝統的な経験的技能を解体した。従来の職人的手技は影をひそめる。これが工場制工業のもとでの一般的趨勢である。これによって，作業方法（能力）が，客観的知識の合理的編成で尽くされるようになるのであれば，とくに実習の必要はないはずである。しかし注意しなければならないのは，機械の導入にもいくつかの次元があり，（個別機械——機械体系

——自動化, というように)ある次元においては, 機械の使用がむしろ独自の経験的体得と熟達を要する部面を生み出すということである。すなわち道具を使う技能に代って, 機械を駆使する技能が新たに登場する。ある程度の機械についての客観的知識と結びついた経験的技能の養成の必要が, ここから生ずる。実習という体験的学習の分野が学校教育に導入される基本的な理由が, ここにある。

さらに, 一方の伝統的な手工業の方も, 機械制工業の圧倒的な発展にもかかわらず, それで直ちに消え失せるわけではない。ドイツの場合のように, 手工業のギルドとそれにともなう徒弟制がある程度の基盤をもって存続し, それが19世紀半ばからの 職業技術教育の 展開に素地を与えた事例もある。また, ギルドと徒弟制が衰退した場合にあっても, 分野(業種)によっては, 手工業が長く残存しつづけることもある。

後者の場合には, 業態上から経験的技能の養成が必要であるにもかかわらず, 実践過程それ自身にはそれに応える体制がきわめて手薄になっているのだから, したがってそれに代る機会が要求されるわけである。前者の場合には徒弟制が存続しているにもかかわらず, ここでも実技・実習が職業的知識の学習と並んで学校教育に導入されているが, これについては, 手工業の分野にもそれなりにある程度産業革命の波が及んでいたことを考慮しなければなるまい。新しい技術的手段や製法は, この分野にも影響を与える。このような手工業分野における必要が, 技術知識の学習と並ぶ実技・実習の学校教育への導入の, もう一方の理由をなしている。

要素的分解と
直接的具体性

学校教育の中での実技の学習(実習)のあり方について, 注目しておかねばならないことがある。実習はまずはじめは, 徒弟制のもとでおこなわれた形態の延長で, それぞれの具体的な製作作業の過程をほぼ全体的に学校に導入して経験させる方法をとった。実習場はここでは現場の延長であり, 実習は

具体的な仕事である。現に手工業の職人・親方を雇ったり，その協力に
よったりして実習をおこなった例もある。しかしこのような具体的・全
体的な方法にたいして，やがて新しい論理が加えられるようになる。す
なわち，それぞれの製作作業の過程をいくつかの基本的な部分要素に分
解し，教授・学習の便益の観点からそれらを排列・構成し直し，個々の
部分過程の練習と習熟によって製作過程を習得するという方法が登場す
る。19世紀の後半期に「ロシア法」なる名のもとにヨーロッパ各国か
らアメリカ，日本などに普及されたのが，この方法である。実習の場面
でのこのような方法の登場は，われわれがみてきた学校教育の基本性格
からすれば，ほぼ当然の成りゆきと見ることができよう。分化と体系化
の論理が，ここにも作用しているわけである。あるいは知識としての技
術の次元に含まれている論理が，この実習・実技の次元にも及んだ産物
としてこの方法をとらえることもできよう。学校の基軸的性格は，実習
という体験的学習の場面においても，このような要素的分化の形態を生
み出すように作用する。

　しかしこのような基軸的性格の作用があればこそ，他方でわれわれが
職業教育にかかわる第3の側面としてあげたものの抬頭がうながされ
る。すなわち，一般的・全体的陶冶の目標のもとに学校教育に導入され
る手工的作業・労作の系列である。ここで再び全体性・具体性への指向
が浮かび出る。実技‐技能の教育をめぐって，このような2つの側面，
2つの方向の間の拮抗が生じる。これは現代の問題点でもある。

◈参考文献◈

◇細谷俊夫『技術教育』育英出版，1944年

　Bennett, C. A., *History of Manual and Industrial Education up to
　1870*, 1926年

◇レオン，A.『フランスの技術教育の歴史』（もののべ・ながおき訳）白水
　社，1968年

◇ミルズ，C. W.『ホワイト・カラー』（杉政孝訳）東京創元社，1957年

6 訓育と学校

しつけと訓育　　教育学にあっては，訓育 (education, Erziehung) は，知識・技術を学習させる教授（「陶冶」ともいう。instruction, Bildung) に対して，人格の形成・自己形成をすすめる教育のはたらきだとされている。それは行動様式を習慣づけ，行動に対する態度を育て，生活信条・見とおし・世界観をつくりあげていくものだとされている。

　ところで，訓育に似たことばとして「しつけ」ということばがある。しつけは，近代以前の民衆生活における習俗としての教育のしかたを意味している。それは，作物のシツケ，衣服のシツケに語源をもち，シコミ・シツケ・シアゲの一環をなすことばである。そこからそれは，家庭・子ども組・若者組・職人仲間などのなかで行動様式，社会的習慣，労働の型などを習得させて，子ども・若者を一人前の社会人にしあげていくことばに転化したのである。それは直接には家庭における子育てをさすが，ひろくは通過儀礼 (rites of passage)，子ども組・若者組のなかでの教育，シツケ奉公などをふくんでいる。

　しつけは，こんにちからみると，非人間的・非合理的要素をたくさんふくんでいるが，しかしそれは民衆の生活と信仰のなかから生まれてきたものであった。そこでの生活行動の型のひとつひとつは，民衆の生活

の必要から生み出され，かつ信仰によって意味づけられていた。だから，生活行動の型の習得は，生活を切り拓く力を身につけるだけでなく，村人によって継承されてきた生活態度，生活信条，さらには宗教的世界観を同時に身につけるためのものであった。そのことは子どもを一人前の部族員たらしめる成人式（initiation）が天地創造の儀式とセットになっているところに典型的に示されている。

　いまひとつ，しつけの特質としてとりあげる必要のあることは，しつけは生みの親が自分の子に対して単独で行なう教育的行為ではなかったということである。子どもは生みの親のほかに，名づけ親，拾い親，里親……などの親をもっていたことにみられるように，村人全員が子どもの親であったのである。村人全体が，また若者組，子ども組が子どもを村の子としてしつけ，育てたのである。その意味では，村はひとつの教育共同体として教育力をもっていたのである。

教化としての訓育　ところが，絶対主義国家のもとにおいて成立した公教育学校は，村の教育力としてのしつけの体系を解体・吸収し，これを国家権力による国民教化としての訓育に再編したのであった。教化（indoctrination）としての訓育は，国家権力の聖化に努める宗教的・道徳的説教を中心とする教化と，その国家的秩序のなかに行為・行動をはめこむ生徒管理からなるものであった。

　日本の絶対主義国家は，民衆内部の自然村秩序を天皇制国家のなかに吸収することによって，天皇家を宗家とする家族国家を創出したように，それは民衆内部のしつけを公教育学校に吸収し，そこに家族国家観にたつ国民教化のための訓育をつくり出したのである。忠君愛国を中核とする教育勅語（1890年）にもとづいて徳目・規範・範型を注入する修身科が，首位教科として学校教育全体をイデオロギー的に支配することになった。

　このために各科の教授は，一方では，道徳化された知識・技術の注入

を介して行動のしかたや態度のとり方を教えるものとなる。また他方,それは,科学性・芸術性をともなわない実用主義的な知識・技術の教授に切り下げられる。それは,各科の教授が科学や芸術を介して,子どものなかに科学的な知性や芸術性豊かな感応・表現力を育てることになると,国民教化としての訓育の体系がくずれると恐れた結果である。

教科外領域にあっても,生徒の生活と活動は修身科イデオロギーによって支配された。そこでは一方では,子どもの行為・行動を一方的に一定の生活秩序と生活の型にはめこむ管理主義的統制が支配する。また他方では,国家主義的な心情をあおりたてる学校行事を中心とする団体主義的「訓練」が組織される。児童・生徒の自主的・自治的諸活動のすべては,管理主義的統制と団体主義的訓練に従属するかぎりにおいて公認されたが,その他のものは抑圧・排除されることになった。

**教化としての
訓育の批判**

このような教化としての訓育は,すでにみたしつけのように,民衆とその子どもの生活の必要に裏づけられたものでないために,それはつねに必然的に形式化・空洞化する。このために教化としての訓育は,ますます教育外的な権威・権力に依拠して,子どもの行為・行動を画一的に統制し,その思想を直接に支配しようとする。そしてとどのつまり,それは子ども自身の自発性,自主性を敵視し,それを封殺するものとなる。

ここにみられるように,教化としての訓育は,公教育学校をつうじて人格の国家主義的統制を図ろうとするために,それは子どもの思想・信条・良心の自由を必然的に侵害するものとなる。少なくとも民主主義のもとにあっては,国家は法的には人間の権利を擁護するものとして存在するべきものであるにもかかわらず,教化としての訓育をふくむ公教育学校は,国家権力による直接的な人格統制,思想支配を推進するものとなる。

そればかりか,それは子どもの生活現実に根ざした自発性・自主性を

敵視し，かつそれを非人間的・非合理的な思想・感覚・心情のなかに閉じこめてしまうために，自発性・自主性に支えられた内面的モラルを育てることができない。それは，基本的な生理的欲求と結びついている子どもたちの自発性を否定するばかりでなく，その自発性の知的統制によって成立してくる自主性をも否定しているからである。

教化としての訓育の以上のような非教育性を考えると，公教育（éducation publique）下の学校において訓育を行なうためには，つぎのような2つの条件が充たされなくてはならぬことになる。すなわち，まず第1に，公教育学校における訓育は直接に人格を統制し，思想を支配するのではなく，一人ひとりの子どもの思想・信条・良心の自由を保護し，かつおしひろげていくかたちにおいて展開されねばならないことである。第2にそれは，子どもの自発性・自主性を否定するのではなく，子どもの生活と学習に即したかたちで，それをふとらせ，子ども自身が自発的・自主的に人格と道徳性をつくりあげていくように励ましていくことである。

この2つの条件が無視されるとき，公教育学校における訓育は，政治的暴力として子どもの内面的自由を支配し，かつそのために必然的に非教育的なものに転化する。こんにち，教化としての訓育はあらわなかたちで公教育学校に存在しないが，しかしそれは民主的な装いのもとでたえず再生産されており，「道徳」の時間特設（1958年）以降，むしろ強化されているといってよい。

公教育学校における訓育　訓育が子どものなかに人格と道徳性を確定していくものであるためには，それはなによりもまず自発性・自主性を発達させるものでなければならない。そのためには教師は，生活現実のなかで阻害されている子どもの人間的欲求を掘りおこし，活動を組織していくことをつうじて自発性をふとらせていかねばならない。子どもの行動のしかたや考え方を道学者的に判断するの

ではなく，それらの内にひそんでいる子どもの人間的欲求に共感し，その人間性に深い洞察を行うちからをもたねばならない。

しかしながら，子どもの自発性を尊重することは，子どもを放任することを意味しない。訓育は，生活現実の認識をつうじて，生活現実に対する自主的判断力と自主的行動力を発展させていくのである。その意味においては，訓育は子どもの知的能力や感応＝表現能力や自治的行動能力を発達させつつ，それらにもとづいて子どもの自主性をねりあげ，自発性を開発していくものでなければならない。

学校教育は自主性の発達を中核にして道徳性と人格を発達させていくにあたって，主として2つの形態をとる。

まず第1にそれは，訓育を主たる任務とする教科外にあっては，子どもの自主的・民主的集団活動を組織していくなかで，子どもの自主的判断や自主的行動が民主的なものに発展していくように指導しようとする。第2にそれは，陶冶を主たる任務とする教科の領域では，科学や芸術にもとづいて子どもの認識能力や感応＝表現能力を発達させつつ，それらを介して子どもの自主性を発達させ，それが社会のより共通の善の実現と歴史の民主的創造に開かれたものに発展していくよう指導しようとする。

このように学校教育は，子どもの人格形成を直接，統制するのではなくて，科学・芸術・民主主義を子どものものにしていくことを介して，子どもの自主的な人格形成を励まし，すすんで民主的人格の確立に努めるように指導するものである。

訓育における欲求と認識の関係　教科外にあっては，訓育は子どもの行為・行動を組織することをとおして子どもの人格形成にとりくむ。本書II章2でのべたように，人間は所与の集団生活を前提とし条件としながらも，これに変更的に働きかけていくことをつうじて人格を形成していくものであるが，訓育はこのことに着目し

て，学校生活を向上・発展させていく集団的活動を組織していく。

そのばあい，訓育はなによりもまず，そうした活動の主体である子ども個々人を自主的個人に，子ども集団を民主的集団に発展させることに実践の力点をかける。つまり，それは，子どもの欲求・要求を組織化していくことをつうじて子ども集団の統一的な意志を発展させていくことにとりくむ。そればかりか，子ども集団が徐々に自力で自分たちの欲求・要求を組織して，自主的にその意志を決定できるように指導する。

だが，欲求・要求の組織化は心情的な一体化であってはならない。それの組織化は，生活認識・集団認識によって統制されていなければならない。そのためには教師は，集団内外の生活現実や一人ひとりの子どもの生活現実に対する子どもの認識をひろめ，深めていくことによって，子どもたちの欲求・要求のもち方，自主的判断や行動のあり方を豊かなものにしていく必要がある。また，ある生活現象がどのような集団の構造から派生しているのかを認識させることによって，集団のあり方を主体的に変革しようとする意欲を子どものなかに育てていく必要がある。

こうした指導のなかで教師は，子どもたちに仲間のなかには自分とは異なる考え方や行動のしかたのあることを認識させつつ，自他の欲求・要求をともに生かすことのできる集団をつくるように子どもを励ましていくのである。またそのなかで，利害関係，平等・不平等関係，正義・不正義関係を内にふくんだ集団と個人の関係を認識させつつ，子どもの集団認識・他者認識・自己認識を発展させていくのである。そうすることによって集団や他者や自己自身に対して自覚的にとりくむ主体を形成していくのである。これらのことは，実践的には生活綴方による生活勉強や仲間理解のなかで，また集団生活を切りひらく活動方針・活動計画の討議と決議のなかで展開されている。そのなかで，子どもたちは互いにその欲求・要求をぶつけあい，その生活認識・集団認識をたたかわせながら，自主性を集団とその生活の現実に根ざしたものに鍛練してい

き，それを集団の民主的改造に方向づけていくのである。

自治的能力の教育　自治的活動の指導は，このようにして集団の意志を確立するだけでなく，それを集団のちからとして表現・行使しつつ，そこに民主的な自治的集団をつくりあげていくものである。民主的な集団をつくっていくにあたって教師は，まず第1に，子どもの自発性・自主性をひき出すような活動方針を集団に提示して，それを集団に自主的に討議・決定させることから実践を開始しなければならない。そして教師の要求に肯定的に，またときには否定的に反応してくる子どもを集団のリーダーとして組織していくことによって，教師の指導から相対的に独立した集団の自己指導をつくり出していく必要がある。

教師は子どもたちに民主的なリーダーとしてのあり方を教えつつ，やがてかれらが自分の主張や方針を集団に提示し，集団の支持や批判を組織できるちからをもつように育てていくことである。それと同時に，教師は集団には，リーダーの正しい指導には自主的に服従すること，誤った指導は拒否し，必要に応じてリーダーの民主的改廃をすることなどを教え，それらに習熟させていくことである。これらをつうじて教師は集団内部に民主的な指導と被指導を発展させ，やがてすべてのものがリーダーシップをとれるようにしていく必要がある。

第2に，教師またはリーダー集団の指導のもとで，集団が自主的に活動方針，活動計画を討議・決定できるような力量を育てていかねばならない。集団の決定がたんにことばのうえのものでなく，実際にちからとして表現・行使されるためには，意志決定のための話合いや討議が，集団内部のちから関係を民主的にくみかえていくものとして組織される必要がある。討議が集団内の非民主的なちからを批判し，統制するものとして展開されてこそ，集団の決定は真に民主的な権威のあるものに，集団の世論は集団のちからに支えられたものになるのである。

さいごに，教師は，集団が民主的な討議と決定にもとづいて集団活動を民主的に統制していくことのできる力量を育てていく必要がある。そのなかで子どもたちが集団活動の民主的規律を自覚的に身につけていくように指導するとともに，外部の力に依拠しなくとも内部のちからでもって集団生活を民主的に管理することに習熟させねばならない。

このように子どもたちは，民主的な集団の意志とちからをつくり出し，民主的な集団生活を創造していくなかで，民主的自治能力を獲得していくのであり，民主的なちからに対する確信を形成していくのである。そればかりでなく，子どもたちは民主的集団の生活変革力に依拠して，未来に対する喜びと確信にみちた見とおし（perspective）を発展させていく。子どもたちは民主主義と生活向上を展望する見とおしをもち，日々の生活行動を自主的に統制することができるようになるにつれて，子どもたちは民主的人格の基礎を獲得していくのである。

知性の訓練と自主性の形成　　教科外における訓育は，上にみてきたように自治的能力の訓練をつうじて民主的人格の形成にとりくむものであるとするならば，教科における訓育はまずは科学的知識の内面化による知性の訓練をつうじて民主的人格の形成にとりくむ。

教科指導は一般に知識の教授をつうじて子どもの知性を発達させていくものといわれるが，それは既成の知識を子どもに注入するものでもなければ，一定の知的操作を反復訓練させるものでもない。それは子どもの生活認識や主体的真実に根ざし，かつそれらを客観的なものに発展させていくというすじみちにおいて，知識を子どものなかに内面化していくものである。そうすることによってそれは，既成の慣習や徳目のなかに埋没しがちな子どもの知性と自主性を解放していく。そればかりかそれは，知的認識に裏づけられた自主的判断がより広い社会的関係を展望しつつ，社会にとって共通の善とは何かを追求していくように指導して

いくことを課題としている。

このように教科指導にあっては，自主的判断能力の形成は，科学的知識の発展的継承のなかですすめられる知性の訓練と結びつけて行なわれねばならない。とはいえ，その知的訓練は，概念や法則の形式的操作に習熟させることではない。それは概念や法則を操作して，社会にとって共通の善とは何かを追求していく認識と思考の傾向性を育てるものでなければならない。いいかえれば，それは科学的知識を活用して社会の民主的改造や歴史の民主的創造のすじみちをたえず追求していくような知性の訓練でなければならない。

このような知性の訓練を内にふくんだ教科指導は，社会の民主的改造や歴史の民主的創造という全体像認識を子どものなかに形成し，その全体像認識のなかで自分の生き方を選択し，自己を方向づけていく自主性を子どものなかに育てていく。それはちょうど，子どもが集団的・個人的見とおしのなかで，自分の行為・行動を自主的に選択していくのに似ている。

全体像認識の形成と人格形成　自然と社会と人間についての全体像認識は，たしかに科学的な概念や法則を操作することをつうじてつくり出されてくるものであるが，しかしそれだけでは全体像認識は子どものなかに結実しない。

全体像認識は，社会の民主的改造を切望し，歴史の民主的創造を推進する人間の主体的認識として成立してくるものである。そうだとすれば，このような主体的認識は，自然や社会や人間を第三者的に眺めるような態度や感情から生まれてはこない。客観的で理論的な認識が，主体的で実践的な認識へと高まっていくためには，それはその社会や歴史のなかで生きている人間に深く共感し，その感動を想像力ゆたかに表現できる能力に支えられなければならない。

つまり，芸術教育によって訓練されてきた感応＝表現能力や想像力が

知的認識にはたらきかけるとき，客観的な社会認識は主体的な全体像認識へと発展し，それは子どもの民主的な生き方を統制し，方向づけ，勇気づけるものとなるのである。

このように教科指導は，知性の教育と感応＝表現の教育との統一によって，自然と社会と人間についての全体像認識ないしは歴史像認識を発展させつつ，社会と歴史の進歩に参加していく能力を育てていくのである。

このようにみてくると，教科外の自治能力の教育と教科内の全体像認識の教育とは，ともに民主的人格の形成という訓育課題を追求するものであり，内面的に深く結合しあっているものだといえる。両者の追求してきた民主的人格とは，社会の民主的主人として，また民主的主権者として，社会の民主的改造に奮闘する人間主体のことであり，歴史意識のもとに自己の判断と行動を統一的に発展させようとしている人間主体である。またそれは，社会の民主的主人として，つねに社会現実に自主的にたちむかうことのできる自主的判断能力と自治能力と労働能力をもち，それらの能力を民主主義と生活の進歩のために統轄している人間主体のことである。このような民主的人格を形成していくことが公教育学校の訓育課題である。

◈参考文献◈

◇『勝田守一著作集』4・5，国土社，1972 年
◇全国生活指導研究協議会編 『学級集団づくり入門（第2版）』明治図書，1972 年
◇五十嵐顕・矢川徳光編『教育とはなにか』（講座・日本の教育第1巻）新日本出版社，1976 年
◇竹内常一『教育への構図』高校生文化研究会，1976 年

Ⅳ 幼児教育

1 幼児教育の思想の歴史

幼児教育思想の誕生 幼児教育，すなわち，幼児期を対象とする教育が，他の年齢期の教育とは異なる独自性をもっていることの意識が生れたのは，そう遠い昔のことではない。私たちは，その記念碑的業績として，ルソー（Rousseau, J.-J.）の『エミール』（1762年）をあげることができる。この本は，「子どものうちに大人を求める」のではなく，「子どもを子どもとして考える」立場を主張し，幼児期の発達に即した教育のあり方をはじめて明らかにしたのである。

今日，幼児教育といえば，誰しもあそびを重視する。あそびを通しての教育こそ，幼児期にもっともふさわしい教育形態であることについて誰も疑うものはいない。しかし，ルソーの時代はそうではなかった。あそびは教育に対立するものであった。であるから，ルソーは「人間よ，人間的であれ。それがあなたがたの第1の義務だ。あらゆる階級の人にたいして，あらゆる年齢の人にたいして，人間に無縁でないすべてのものにたいして，人間的であれ。人間愛のないところにあなたがたにとってどんな知恵があるのか。子どもを愛するがいい。子どもの遊びを，楽しみを，その好ましい本能を，好意をもって見まもるのだ」と熱っぽく説いている。

　ルソーは子どものあそびをたわいもないものとは考えず，大人の労働と同じように真面目なものとして考えている。子どもはあそびのなかで「耐えることのできないことを，不平もいわずに，いや，笑いながら耐えるもの」であり，あそびのなかで，知的なものに到達する以前の「感覚的な理性」をゆたかに培うことができるのである。ルソーは言っている，「あなたはまず腕白小僧を育てあげなければ，かしこい人間を育てあげることにけっして成功しないだろう」と。

　ルソーの『エミール』は，社会的偏見にとらわれない主体性のある人間の形成をめざし，「感覚的な事物」による教育を通して「正確で明瞭な観念」をつくりあげていくこと，人間同士の関係の理解についても「ことばによってではなく行動によって」教えられることを主張している。しかし，ルソーの『ポーランド統治論』(1772年)のなかでは「子どもたちが気ずい気ままに，べつべつに遊戯するようなことを許してはならない。そうではなく，すべての子どもが一緒になって，公衆の前で，すべての子どもが達成しようとするひとつの共通目標がつねに存在するようにして遊戯しなければならない」と述べているのにかかわらず，『エミール』においては，なぜか幼児期のこのような積極的な集団指導についてはふれられてはいない。これは，ひとつの研究課題であろうが，はっきり言えることはエミールが，「ほんとうの楽しみは民衆と分けあう楽しみ」であることを理解できる人間，すなわち，「自分の利益を共同の利益のために犠牲にする」ことのできる人間へと成長させられていることである。このような集団主義の精神を育てるためにこそ，『エミール』では「生徒の理解力をこえた社会関係についての観念」を徳目主義的に教えこむことを拒否し，ひとつひとつの事実に即した強靱な判断力の形成を幼児期の主眼としたのであろう。

オーエンとフレーベル　ルソーの『エミール』は架空の人物を主人公とした教育小説であり，多分にユートピア的であ

った。ところが、それから50年近くたって、産業革命のさなか、家庭生活の崩壊が進行しつつあるなかで、新しい保育実践が、家庭とはちがった集団保育の場のなかで誕生した。オーエン（Owen, R.）がつくった人格形成学院（Institution for the Formation of Character）である。この保育施設は、1816年に開設され、働く母親のために満1歳前後の乳児から預り、集団保育をおこなった。「子供は安全な場所におかれ、そこで未来の学校友達や仲間たちとともに、最善の習慣と原理を習得し、食事時間と夜は、両親のあたたかい懐に帰ってゆくであろう。そして離れていることによって、相互の愛情は恐らく強められるであろう」とオーエンは言っている。この「学院」では、書物によってではなく事実についての知識や、あるいは、ダンスや音楽を指導されるとともに、「遊び仲間をそこなうようなことをしてはならない。それどころか、仲間を幸福にするように全力をつくさねばならぬ」という集団主義的な原理で行動することを教育されたのである。

このオーエンの「学院」設立より20年ほどたって、フレーベル（Fröbel, F.W.A.）が、ドイツで幼稚園（Kindergarten）をつくった。フレーベルも、子どものあそびにもっとも高い教育的価値を与え、子どもたちが仲間とともに、あそんだり、生活したりすることによって「人間的にやさしく、かつ感情ふかく思考させるとともに、行為において礼儀正しく、かつ思慮ふかくさせる」ことをめざしたのである。このフレーベルの幼稚園はアメリカを通って、明治時代のはじめに日本にも輸入され、日本の近代的な幼児教育の形成に大きな影響を与えることになる。

日本の幼児教育　日本の近代的な幼児教育は、1876（明治9）年にできた東京女子師範学校付属幼稚園の設立によってスタートがきられた。しかし、ここに入園できた子どもたちは「富豪あるいは貴顕家」の子弟であり、西欧の幼児教育の先駆者たちが志向したものとは大きなへだたりがあった。その保育内容も、フレーベルの「恩物」

(Gabe)を最重要視し，その教え込みを中心とする「お稽古」主義の色彩にいろどられていた。大正期にはいって，都市中産階級に支えられた幼稚園がつくられていくが，そこでは，「恩物」中心の形式主義を克服し，子どもの自由なあそびを主体とする児童中心主義の保育を発展させた。このことで大きな功績があったのは倉橋惣三である。

　いっぽう，都市貧困層を対象とする保育所が，明治期の産業革命のなかで生れてきていた。それらは，一般的に慈恵主義的色彩をもち，内務省によって治安維持機能をはたすものとして奨励された。そうしたなかで，昭和期にはいると，無産者託児所など「無産者の立場から子供を保育する」ことをめざす保育所が誕生した。これら新しい保育所は，オーエンの思想を受けつぎ，ごく幼いときからの正しい習慣形成に力をいれるとともに，あそびや仕事のなかで子どもたちが共通の目標にむかって協力しあうことを教える集団主義的保育の立場を前進させたのである。

◈参考文献◈

◇ルソー，J.-J.『エミール』（今野一雄訳）岩波文庫，1962 年
◇オーエン，R.『新社会観』（楊井克巳訳）岩波文庫，1954 年
◇フレーベル，F.W.A.『幼児教育論』（岩崎次男訳）明治図書，1972 年
◇小川正通『世界の幼児教育』明治図書，1966 年
◇浦辺　史『日本保育運動小史』風媒社，1969 年

2 幼児教育の内容と方法

あそびとは何か　すでに述べたように，あそびは，子どもの自発的な活動を重視する近代的な教育思想のなかでクローズアップされてきた。あそびから自発性を奪ってしまえば，それは，あそびとは言えないものになってしまう。フレーベルは，自発的なものであるあそびを，内部の生命力の発現であると考えた。しかし，あそびを生命力として神秘的に解釈してしまうことにも問題がある。あそびは，内部から自然に湧きおこってくる活動ではない。むしろ，子どものまわりの，仲間たち，大人たちの生活の反映である。あそびは模倣であり，大人たちのように活動したいと願う子どもの欲求からあそびが生まれる。もちろん，それは，機械的な模倣ではなく，その子どもにとって魅力的なものを，その子なりに模倣するのであって，そこには創造的な性格が含まれているのである。

　エリコニン（Эльконин, Д. В.）は，子どものあそび，とくに役割あそびの歴史的な発生について考察している。それによると，生産力の低い社会の段階では，大人の労働と子どものあそびとの間にはさほど差がなかったが，生産力と生産関係がすすむにつれて，子どもは生産活動から追いだされ，子どもはかわって，「役割あそび」を創出することで，大人との共同生活をしたいという子どもの欲求を満足させることになった

のではないかと考えられている。このようにして，あそびは現実の大人たちの生産活動を反映しつつも，それとは異なった虚構的な世界をつくりあげるのである。

　しかし，この虚構的世界は，まるで野放図な絵空事の世界ということではなく，ルールのある世界である。おままごとごっこのお母さんは，お母さんらしくふるまわなければならないというルールを守って行動する。このようなルールをぬきにしては虚構性も成立することはできない。ヴィゴツキー（Выготский, Л. С.）は，あそびのもつ虚構性とルールの関係に着目し，子どもはルールを守って行動しようとすることで，自己統制の課題を自らに課し，自らを一歩成長させるものであることを明らかにしている。

あそびの重要性　ところで，あそび活動を幼児期において，特に重視しなければならない理由は何なのか。あそびの虚構性という性格を重視したヴィゴツキーは，あそびが抽象的な論理的思考の前段階をなすひとつの重要な思考形態を意味するものであり，論理的思考への道を準備するものであることを明らかにし，あそびを幼児期の子どもの発達を決定づける主導的活動であると言った。

　幼児期の子どもは，まだ完全に，「物」や「場面」を離れて抽象的な思考を駆使することはできない。しかし，満3歳頃をひとつのめやすにすれば，それ以前と以後とでは質的な発達上の変化がおこってきている。3歳以前では，状況に束縛されたかたちでしか思考ができなかったのに対して，3歳以後ではひとつの虚構を構想して行動することができるようになるということである。すなわち，3歳以後の「遊びにおいて，子どもは目に見える状況の中でなく，認識され，つまり頭の中で考えられる状況において行動することを学ぶ」のである。このような，論理的思考にいたる前段階を，行為的思考とよぶことができるであろう。子どもはあそび（行為）ながら思考し，思考しながらあそぶのである。

　子どものあそびは，ごく単純なものから複雑なものへ，ごく小人数で
のあそびから，集団的なあそびへと変っていく。いいかえれば，目的的，
組織的，継続的なあそびへと発展していくことであろう。このようななか
かで，「子どもは，自分自身の行動を意識すること，すべてのものが意
味を持っていることを意識することをおぼえる。発達の観点からいうと，
虚構的場面をつくり出すという事実は，抽象的思考の発達への道とみな
すことができる。また，それと結びついたルールは，学齢期において基
本的な事実となる遊びと労働との分離を可能にする基礎として行動の発
達をもたらす」（ヴィゴツキー）のである。

あそびの指導　　子どものあそびは，自発的で自由な活動である。他か
ら命令されたり，強制されたりするものではない。だ
とすると，保育者の指導は無用だというのだろうか。日本の幼児教育の
なかには，子どもが自由にあそぶことのできるような環境設定にとどま
るべきであって，あそびを直接指導することは，あそびを歪めるものだ
という考え方があった。たしかに，これまでの指導のあり方は，あそび
をあそびでなくしてしまうような誤った面がないではなかった。だから
といって，保育者の指導を放棄してしまうことは正しいだろうか。そう
ではないであろう。子どもの自発的なあそびを活発にするような指導が
なければならない。ウシンスキー（Ушинский. К. Д.）も，『教育的人間
学』（1868-70年）のなかで，子どものあそびは自由な活動であるが，「し
かし，このことは，教師が子どもの遊びに大きな影響をもたらし，子ど
もに遊びを教えたり，遊びのための友だちを選んでやったり，子ども自
身が自己の想像によって作りつつある遊戯の観念を彼に授けたり，子ど
もの無邪気な空想をしあげるための手段を与えてやったり，子どもに悪
い影響をおよぼす遊びを中止させたりする可能性を，教師から奪うもの
ではない」とのべている。たしかに，指導と強制とを混同してはならな
い。

　ところで，あそびの指導には，どのような方法が考えられるだろうか。以下，その二，三について述べてみたい。

　あそびの指導にとって，第1に考えられなければならないことは，子どもの何かしたい，あそびたいという素朴な欲求から出発して，その過程を通して，子ども同士，話しあいをさせ，もっといい方法はないかを考えさせ，子どもの要求をたえず豊かな「見通し」と結びつけて発展させていくことであろう。たとえば，子どもがよくあそぶ「お店やさんごっこ」にしても，みんなが同じように，砂場などで「いらっしゃい，いらっしゃい」と言っているような段階から，もうすこし，いくつかの「お店」をつくり，売り手と買い手とに役割をわけてやるような段階，さらに，年長組が中心になって「お店」をつくり，年中・年少組の子どもをお客さんにしてやるような計画的な「お店やさんごっこ」にも発展する。このように，保育者は子どもの要求をほりおこし，組織的なごっこあそびへと発展させることができる。こうした役割あそびの指導においては，直接，実際のお店を見学させ，そこでの品物や売り買いの仕方などを学ばせるとよい。また，準体験ともいうべき絵本や紙芝居の役割も大きく，すぐれた絵本などは，子どものあそびを誘発させるものをもっている。

　あそびの指導にとって，第2にあげられることは，あそび文化の遺産そのものを伝えてやる仕事である。私たちの祖先は，長い歴史のなかで，洗練され，典型化されたあそびをたくさん創造してきている。そうしたものを子どもに教え，子どもが仲間とともに，ルールを守ってあそぶことの楽しさをわからせるとともに，新しいあそびを創造してゆく上での基礎を培うことである。日本の伝承的なあそびのなかには，凧，竹とんぼ，竹馬など自分たちでつくってあそぶあそびが多い。既成のおもちゃを買って与えるのではなく，自分たちで遊具をつくる楽しさを教えなければならない。そのためには，基本的な道具の使い方を指導するなど，

手の機能を発達させることが必要である。伝承的なあそびのなかには今日でもそのまま生かすことのできるものもたくさんあるが，なかには今日の生活にはそぐわなくなっているものもある。クルプスカヤ（Круп-ская, Н. К.）が言うように「わたしたちは周囲の実生活を研究して，実生活と遊びをとりもつような遊戯形式を見出さなければならない」のである。

　あそびの指導の第3は，あそびの上手な子どもをボスにしてしまうのではなく，よきリーダーとして育て，リーダーを中心として，子ども集団が，日常的に，自主的なあそびを展開できるような集団の力を形成していくことである。なかなか，あそびに入ってこれないような子どもに，「いっしょに，あそぼう」と声をかけたり，ルール違反のもめごとを仲裁したり，あそびを積極的に工夫したりして，子どもたちが保育者の直接的な指導がなくても，自分たちであそべるような集団にしていくことである。とくに，グループ対抗の競技的なあそびのなかでは，グループリーダーの必要が生まれ，リーダーを育てる機会にもなる。また，幼稚園・保育所では，同年齢のクラスを基礎集団としているが，そうした集団だけでなく，地域ごとの異年齢集団をあわせて組織し，年長のものが年少のものにあそびを教えていくという機会をつくってやることも必要であろう。あそびがたんに，幼稚園・保育所のなかにとどまらず，地域でのあそびに発展するとともに，地域でのあそびが幼稚園・保育所にもちこまれるというようなことが大切である。

　あそび以外の活動　　これまで，幼児教育のなかで，あそび活動が中心的な位置をしめるものと考え，あそび活動についてのべてきたが，幼児教育はあそびだけに限られるものではなく，さまざまな活動分野を含むものである。基本的生活習慣の形成とともに「仕事」とよばれるようなクラス運営にかかわる実務的活動や「課業」とよばれるような体系だてられた教材（teaching materials）の指導活動などがそ

のほかにも重要な分野である。

　クラス運営活動の具体的形態としては，当番や係活動がある。子ども
はごく幼い時期から，あそびばかりでなく，実際的な仕事をみようみま
ねでやってみようとする。そうした要求は，はじめ，当番という初歩的
な形態に組織されることが多い。当番は，5〜6人のグループのなかから
順番で，グループ員に，教材やおやつを配ったりというような，かんた
んな実務的活動からはじめられ，次第にクラス全体にかかわるような複
雑な仕事へと発展していくものである。当番がグループに基礎をおくの
に対して，係活動はクラスに基礎をおくものである。クラスの特定の係
活動（たとえば，飼育係，絵本係，遊具係など）に対して，それぞれ2〜3人
の係を選出して，一定期間，係活動をおこなうことである。とくに，係
をつくらないで，当番の協力のもとに係活動がおこなわれたり，特定の
グループがまとまって係活動にあたるという方法もある。

　このように，当番，係というような組織的な手だてを手がかりにして，
クラスの運営管理の仕事が，保育者の手から，部分的にではあるが，徐
徐に子どもたちの手に委譲されていくのである。そして，そのことによ
って，クラスや園の生活を「自分たちの手で」という自覚を高め，その
ための実務的能力を鍛え，リーダーの育成とあいまって，自治的集団の
形成をめざそうとするものである。

　次に，課業活動とは何かについて考えてみよう。ここには，体育をは
じめ音楽，造型などの教育が含まれる。一般的に日本の幼児教育理論で
は，課業としてとり出すよりも，あそび活動のなかに含めて考えるべき
であるという主張が強い。たしかに，あそびという形態のなかで，体育，
音楽，造型などの指導がおこなわれることはあるが，それには限界があ
るように私には思われる。それは，あくまでもあそび活動に従属して生
まれてくるものであって，意図的に計画された体育，音楽，造型などで
はない。系統的に技術・知識の教育が行なわれる必要性を十分みたすこ

とはできない。

　課業活動は他の分野にくらべて時間量としては少なくてよい。子ども
の負担になるようなやり方は避け，もっとも基礎的な内容を，子どもの
生活と結びつけて指導されなければならない。課業活動の内容としては，
「赤ちゃん体操」のように乳児期からはじまる体育や伝えあい活動のな
かで生まれる言語，音楽，造型などの表現指導，ことば（文字）や数量
についての基礎的な知識などが含まれるであろう。

◈参考文献◈

　◇エリコニン，Д. B.「子どもの遊び理論の基本的諸問題」『ソビエト心理
　　学研究』第 17, 18 号，1974 年
　◇ヴィゴツキー，Л. C.「子どもの精神発達における遊びとその役割」『国民
　　教育』第 9 号，1971 年
　◇ウシンスキー，К. Д.『教育的人間学』(柴田義松訳) 明治図書，1960 年
　◇海卓子『幼児の生活と教育』フレーベル館，1965 年
　◇クルプスカヤ，H. K.『家庭教育論』(榊利夫ほか訳) 大月書店，1964 年
　◇宍戸健夫『幼児の集団と教育』ささら書房，1975 年
　◇矢川徳光・城丸章夫編『幼児教育』(講座日本の教育 11)　新日本出版，
　　1976 年

3 幼児教育の施設と法

幼稚園と保育所　同じ学齢前児童を対象として，保育機能をもつ施設でありながら，幼稚園と保育所とよばれる 2 つの施設が日本では存在している。幼稚園は，その数 1 万 3,108, 入園児は 229 万 2,180 人である。保育所は，その数 1 万 8,080, 入所児は 159 万 2,486 人である (1975 年 5 月現在)。

　幼稚園は，学校教育法で「幼児を保育し，適当な環境を与えて，その心身の発達を助長することを目的とする」(同法 77 条) ものと規定されているが，いっぽう，保育所は，児童福祉法において「日日保護者の委託を受けて，保育に欠けるその乳児又は幼児を保育することを目的とする施設」(同法 39 条) として規定されている。この「保育に欠ける」という意味は，「保護者の労働又は疾病等の事由」によって，「監護すべき」児童に対して「保育に欠ける」という状態が生まれることとされている。児童福祉法第 24 条では「市町村長は……児童の保育に欠けるところがあると認めるときは，それらの児童を保育所に入所させて保育しなければならない」となっている。そして，それに対する国や都道府県の財政上の負担も明確にされている。このように，保育所は一定の条件のもとに市町村長の設置義務を規定しているが，幼稚園は義務制でないばかりでなく，こうした規定がみられず，国の財政援助も保育所に較べてきわ

めて少ない。

　以上のような目的のもとに，幼稚園は満3歳から小学校就学までの年齢の児童を対象としているのに対して，保育所は乳児から入所でき，第39条第2項で，学童までも入所できるようになっている。また，幼稚園は『幼稚園教育要領』のなかで，1日4時間の「教育時間」を標準にしているのに対し，保育所は児童福祉施設最低基準のなかで，1日8時間の「保育時間」を原則としている。幼稚園は小学校教員と同じ「教諭」によって保育が担当されるのに対し，保育所では保母養成所を卒業，もしくは保母試験を合格した「保母」がそれを担当することになっていて，それぞれの資格の要件は異なっている。

　幼稚園と保育所との間には，法制的には以上のような相違があるが，各地域では両施設の問題をめぐって，さまざまの混乱が生まれている。幼稚園があっても，保育所がなかったり，保育所があっても幼稚園がなかったりする地域も多い。また，同じ地域の同年齢の子どもでも，幼稚園と保育所にそれぞれ別々に通園することで差別的意識を助長する傾向も生まれている。国民の幼児教育への要求が高まるとともに，共働きを続ける家庭もふえている。そうしたなかで，同じ保育機能をもつ幼稚園と保育所が，制度的に二元化されていることへの国民の批判は高まってきている。

　ところが，今日の行政主体は，幼・保の二元的行政を改善する意志をもっていないようである。1963年，文部省初等中等教育局長と厚生省児童局長の共同通知「幼稚園と保育所との関係について」は両者の関係を次のように言っている。すなわち，①幼稚園は学校教育であり，保育所は「保育に欠ける児童」の保育を目的とするものであり，両者は機能を異にしている，②幼稚園は義務化のことも考慮にいれ，今後，5歳児，4歳児に重点をおくこと，③保育所のもつ機能のうち教育に関するものは，幼稚園教育要領に準ずることが望ましい，④幼稚園と保育所の普及

については，適正な配置が行なわれること，⑤保育所の入所者決定は，今後いっそう厳正に行なうこと，⑥保母試験合格保母に対しては現職教育を計画するとともに，将来保母の資格等について改善を図ること，などである。

このような政策に対して，これは公的な幼児教育を前進させるものではなく，「文部・厚生両省の一連の家庭対策によって，家庭保育を強化して，これを補強するものとして国民負担の幼稚園を普及してその教育内容を統制し，経費補助を多額に要する保育所を真にやむを得ないものに限る方向に抑えるもの」（浦辺史）とする批判がある。

幼・保一元化 幼稚園と保育所の2つの制度は，これを教育制度とみれば，旧教育制度にみられた複線型のそれである。園児数のうち76パーセントを私立でしめている幼稚園の今日的性格は，いぜんとして幼稚園を国民的な施設として生まれ変わることにさまざまな障害をかかえているとともに，保育所は国の財政的援助とひきかえにいぜんとして慈恵主義的性格のものにさせられている。平等に保育・教育を受ける権利をもっている就学前の子どもたちが，いっぽうは幼稚園に，いっぽうは保育所へと差別されることは国民感情としても許せないことであろう。

その保育内容においても，その年齢的特質から言って，教育と養護の両機能が統一されなければならないものであり，「保育」という概念はそうした意味で積極的にゆたかにされなければならないものである。幼稚園は「教育」施設，保育所は「福祉」施設というような両施設の区別は，教育と養護の機能の統一をはばむことになるであろう。

今日では，婦人が働くことはごく当然のこととなってきている。それは生活が苦しくて共働きをしなければならないという社会状況にもよるものであるが，そうしたなかで，婦人の働く権利が自覚されてきていることにもよるものである。こうした状況をふまえて新しい保育施設は，

　婦人の働く権利と子どもの保育される権利とを同時に保障するものでなければならない。そうした条件をそなえることなしには，真に国民的な保育施設とはいえないという主張も，国民のなかに高まっている。こうした国民の要求を可能にするには，幼稚園にしても，保育所にしても，たくさんの改善を必要とする。保育者は父母とともに，ひとつひとつの改善を積み重ね，幼・保一元化への展望をきりひらいていかなければならないであろう。

◆参考文献◆

　　◇浦辺史『現代の保育問題と幼児教育』風媒社，1969年

　　◇岡田正章『日本の保育制度』フレーベル館，1970 年

　　◇宍戸健夫編『保育問題』（児童問題講座 5 ）ミネルヴァ書房，1975 年

　　◇日教組教育制度検討委員会『日本の教育改革を求めて』勁草書房，1975年

V 社 会 教 育

1 社会教育の概念と歴史

社会教育の概念　　学校教育における教育の目的は，「子ども・青年」
の成長と発達の権利の保障に根ざしつつ，学習活動
を通して彼らを将来の社会における政治と文化の主人公に育てあげると
ころに求められている。これと同様に，社会教育（adult education）とよ
ばれているもの，つまり，現実の社会において生産と労働に従事する
「おとな」（adult）が，政治と文化の主人公にふさわしい資質の形成を
めざしておこなう教育・学習活動もまた，国民の基本的な権利のひとつ
としてとらえられるべきであり，そのための条件の整備がひろく求めら
れるところである。

　ところで，わが国においては社会教育が権利としてとらえられてきた
歴史は浅く，たとえば，単に人びとに対し余暇を利用した教育機会の提
供を行なうことが社会教育であるかのような理解も少なくない。そして，
社会教育についてのごく一般的な規定についてみても，「正規の学校教
育以外の，一般民衆に対して行なわれる教育の総称」といわれるだけで
あれば，人びとが社会教育について描くイメージは際限もなく多様なも
のにならざるをえない。

　しかしながら，1960 年代半ば以降，高物価，公害，産業と労働の「合

理化」，教育問題などにたいする国民の関心の大きな高まりがみられ，それらの問題の解決を求める自主的な教育・学習活動が広範に生み出されてくる。いっぽう，そのような状況の反映として，行政機関の関与するいわゆる公的社会教育の分野でも，とくに婦人を中心とした学習活動が生活や教育の問題をめぐってかつてないひろがりと深まりをみせるようになる。この中で，働く青年と成人の現実生活ときりむすぶ学習活動こそが社会教育であるとする考え方が以前にもまして強調されるようになってきた。これは，学校教育の機会にめぐまれなかった人びとに対する補足的なあるいは代位的な教育としての社会教育観とも，余暇利用的社会教育観とも異なる。また，後に述べるような最近の政府・財界主導型「生涯教育」論とも異なるのである。

　第2次大戦後の日本の教育民主化過程において，社会教育は従来の「国民教化」からの根本的な転換を求められ，国民の間における「自己・相互教育」としてとらえなおされたのであるが，教育・学習活動の自主性の強調だけでは，社会教育の主体，目標，内容をあきらかにする基盤は形成されなかった。しかし30年の歩みを経たこんにち，いまあげたような教育・学習活動の高まりは社会教育の概念をゆたかにしてきているといえよう。そこには，人びとのさまざまな必要に応じて組織される学習活動の，新しい展開をみることができる。それは，学習者自身が，あるときは自主的に，あるときは専門的援助をうけつつ，あるときは公的な保障を獲得しながらその質的な発展を実現させ，自分自身を意識の上でも行動の上でも教育の主体へと成長させている姿なのである。この状況をふまえて考えるならば，われわれは，社会教育とは学校教育以外の場において成人が学習の必要の自覚の上に自己の学習意欲を発展させ，自分自身を自己教育の主体に育てあげていくいとなみである，ととらえることができる。

現代日本の社会教育の課題

ところが，ここでわれわれは2つの重要な問題に直面する。その第1は，学校外における児童・青少年の遊びや文化活動を社会教育の領域に入れるか否かという問題である。すでに，いっぽうでは「在学青少年に対する社会教育」の振興という形の文部行政の立場から[1]，他方では地域文化活動の自主的な発展をおとな－子どもを通してとらえる立場から，それぞれ社会教育への期待がつよまっており，これを無視して社会教育を論ずることはできないという状況がある。第2の問題は，現実の社会教育が，公権力のかかわりにおいて組織されるいわゆる公的社会教育と，労働者・農民・市民・青年などのまったく自主的に組織される民間の自由な自己教育運動との2つの部分をもつという問題にかかわっている。すなわちその関係の構造的な把握を「権利としての社会教育」という観点からどうこころみたらよいかという問題である。ここでは紙数の制約もあり，この2つの問題に対しては学校教育と社会教育の一体的把握という角度から迫る必要があることを述べるにとどめておこう。

そのさいわれわれは，戦後いちはやく，宮原誠一が展開した社会教育の歴史的理解の方法に学んでみたい。宮原は，社会教育の生成・発展の歴史を学校教育の歴史的発展との関係でとらえる中で，社会教育の本質と課題を把握しようとした。すなわち社会教育は近代学校教育制度の成立ののちに，これと相対するものとしてあらわれたとみるのである。歴史的な発達形態としては，学校教育の「補足」・「拡張」・「あるいは学校教育以外」の教育要求として組織されるが，その内容は，民衆の教育要求を反映して「下から」組織されるものと，民衆の自覚の高まりに対する支配階級の「上から」の対抗策として組織されるものとの合流・混在であるととらえられる。ところで，これらをつらぬいて発展してきた民衆の民主主義的自覚こそ，教育の進歩の保障であり，その自覚を育てる観点から新しい社会教育が構想されねばならないとした。それは，

形骸化と荒廃をふかめている学校教育と社会教育の関係の根本的再検討
の上に，あらたに社会全体の教育的必要にこたえる教育の計画化と系統
化をめざすものとして説かれていた[2]。

　この見解を現代日本の社会教育の課題にひきつけてとらえかえすなら
ば，国民の教育・学習の権利を保障する体系として学校教育と社会教育
の統合を展望する地域教育計画を構想することであり，その実現の担い
手を，ほかならぬ教育・学習活動に主体的にとりくむ国民自身に求める
ことでなければならない。

　ところでこのような社会教育のとらえ方は，同じく学校教育と社会教
育の統合的再編成を説く政府・財界主導の「生涯教育」論とは異なる。
生涯教育 (lifelong integrated education) については，1965 年ユネスコ
成人教育推進国際委員会におけるポール・ラングラン(Paul Lengrand)
の提案以来，さまざまな組織論・計画論がこころみられているが，その
さい，とくに社会教育の権利性をどう理解するかが問題となる。最初に
のべたように，教育を自己発達への権利としてとらえるならば，社会教
育の特質といわれる「自主性」「自発性」は，教育の組織過程全体をつ
らぬくものでなければならず，それは国民を教育の内容・方法・制度の
すべてにわたる権利主体としてとらえる立場に立つ。これに対して上記
の「生涯教育」論は，社会教育の権利性を教育機会の保障にだけ求め，
社会的・国家的要請から編成される学習内容を，国家の配慮として，全
生涯にわたるサーヴィスとして，多様な学習活動の機会を通して提供す
る構想の 体系なのである。 1971年の社会教育審議会答申「社会構造の
急激な変化に対処する社会教育のあり方について」においても，72 年日
本経済調査協議会報告書「新しい産業社会における人間形成」において
も人びとの学習課題は，情報化社会における価値観の「対立」「混迷」
の解消と「国民的合意の形成」を根柢にすえて説かれている。それは，
社会教育の自主的発展こそを教育全体の再編成の原理としてとらえる社

会教育論とは異質のものといわざるをえない。

　いまここで問われている「権利としての社会教育かサーヴィスとしての社会教育か」という問題は，じつは近代社会教育の歴史をつらぬく基本テーマなのである。

社会教育の歴史的展開　歴史的にみると，成人の教育・学習活動には，自分じしんの生活上や政治上の要求から出発するものも，あるいは時代にふさわしい文化的教養や技術や科学的知識を求めて組織されるものもあり，じつに多様な展開がなされてきている。このような動きが国民の教育要求の水準を高めるとともに，近代の人権思想の発展と結びついて「権利としての教育」の自覚を生み出したのである。それは，子どもの教育機会の保障を中心とした公教育の制度化と充実をもたらす社会的な力を形成するが，もちろんそれだけではなく，成人独自の自己教育運動の展開を生み出すのである。それが，後に述べるような労働者教育運動や民衆大学運動などであって，慈恵的なあるいは教化的な民衆教育とは異なる領域を社会教育の中につくりあげることになった。こうした運動が，既存の教育制度への批判を強めたり一定の公的保障を要求するようになるにつれて，それへの対応として公的な制度としての社会教育の整備がすすむ。しかし，それは社会教育が国民の権利として承認されはじめたことを意味するわけではない。近代国家はいずれも，学校教育の制度化を通して「公民育成」と「労働力陶冶」の政策をすすめてきたが，帝国主義段階，とりわけ第1次世界大戦の前後から，各国は，高まる民衆の教育要求にこたえる形をとりながら，この政策目的の積極的な遂行のために，社会教育とくに成人教育を重視したのであった。こうして近代社会教育は，いわゆる「上からの要求」と「下からの要求」の「合流・混在」的状況を呈して展開されていくことになる。この間の事情を，成人教育制度の成立と発展がもっとも典型的にみられるとされているイギリスについてたどってみよう。

**イギリスにおける
成人教育の展開**

イギリスでは，産業革命の進行過程において，社会政策あるいは従順な労働力確保をねらいとした民衆教育が展開をみせるが，労働者もまた，新しい知識・技術の習得と自分じしんの社会的地位の向上という要求をもち，19世紀前半には，バークベック（Birkbeck, G.）の創設したメカニックス・インスティチュート Mechanics' Institute（職工学校と訳される）や，オーエン（Owen, R.）の労働者教育の実験などにみられるように，啓蒙的市民教育家の手による労働者のための教育機関がつくられていく。しかし，労働者たちは，その慈恵的・非政治的性格を批判し，チャーチズム運動の中で生み出された「教育は恩恵でなく権利である」（ラヴェット）という思想にみちびかれて，19世紀中葉から後半にかけて労働者自身の手による労働者教育を組織して自己教育運動を展開する。イギリスの労働者教育運動は，チャーチストたちの活動のほか，シェフィールドの民衆大学（People's College）のこころみやキリスト教民主主義者たちの組織したロンドン労働者大学（London Working Men's College），あるいはケンブリッジ，ロンドン，オックスフォード各大学でこころみられた大学拡張事業（University Extension）やトインビー・ホール（Toynbee Hall），ラスキン・カレッジ（Ruskin College）などの教育セツルメント運動など，その潮流はさまざまであった。やがてこの流れの中から，マンスブリッジ（Mansbridge, A.）の努力によって労働組合が大学と協同組合運動の協力をえて教育活動を行なう WEA（Workers' Educational Association）が誕生するにいたる（1903年）。しかしこれは，主として労働者の知的水準の向上をめざす穏健なものであって，チュートリアル・クラス（tutorial class）などにみられる成人教育のすぐれた方法を編み出すなどの発展がみられた反面，その中立主義的な性格には強い批判が生まれた。自己教育の伝統の上に立つ独立労働者教育運動の代表的なものとしては，ラスキン・カレッジから排除されてプレブス・リーグ（Plebs League, 1908

年）を結成し，労働大学（Labour College, 1909年），労働大学全国評議会
（National Council of Labour Colleges, NCLC, 1921年）へと発展した流れ
がある。

　この間，イギリスの労働者階級は中等教育の一般民衆の子弟への開放
を求めて運動を展開しており，"Secondary Education for All"（中等教育
をすべてのものに）は労働党の教育政策の中心思想となった。1918年，14
歳までの就学保障を定めたフィッシャー法が制定されるが，まさにこの
時期に成人教育の公教育化も積極的にすすめられる。19年の教育局成人
教育委員会最終報告書にもとづき，24年には18歳以上を対象とする成
人教育規程の制定をみ，WEAを大学とともに責任団体（Responsible
Bodies）と認定して国庫補助を与えるなど，公権力による包み込みが強
められてくる。そこには，「新しい市民精神」の名のもとに国家への忠
誠と義務遂行の意識を高めようとする意図が，成人教育の内容をつらぬ
き（19年最終報告書），地方教育当局（LEA）の責任の比重を高める方向
で継続教育（further education）の制度的整備がすすむ（44年教育法以降）。
こうして，第2次大戦後は，イギリス成人教育の伝統であったボランタ
リィズムは徐々に後景にしりぞき，行政当局が主体となって対象を主婦
や農村地域にひろげるという法制度的整備が進行するとともに，WEA
の自律性の後退やNCLCの不振も指摘される事態が生み出されてゆくの
である[3]。では，わが国ではどうであったのか。

戦前日本にお
ける社会教育
　わが国において，はじめて近代人権思想に立って民衆
の自主的な学習運動を組織しえたのは，その担い手が
中農・豪農層の青年に限られていたとはいえ，自由民
権運動であった。明治政府の弾圧によってこれがついえ去ったのちは，
国家主義的な国民教育制度の複線型構造がもたらした差別と，急速な農
民分解による貧困化のもとで，農村青年に自覚的な学習活動が芽生え，
地域青年会運動が発生する。やがてそれは，内務省や文部省の強力な指

導の下に社会的矛盾の激化に対応して組織された国民教化の事業につつ
みこまれ，報徳思想に導かれた「官製」社会教育運動の有力な支え手に
育てられていく。この地域青年会運動は，大正中期から昭和初期にかけ
て運営の自主化と役員等の組織の民主化を求める「青年団自主化運動」
を生み出すが，それは一部の動きにかぎられ，中等教育の機会均等化を
求める運動としては発展しなかった。むしろそれらは中等学校の代位機
関である実業補習学校（1893年設置），青年訓練所（1926年設置），青年学
校(1935年設置)を支える役割を担わされるという矛盾の中にとじこめら
れていくのである。

　いっぽう労働者教育運動の端緒は，明治30年代に片山潜らのキング
スレー館の活動にみられる。しかしこれが，労働組合運動の発展ととも
に公教育の階級的性格への批判を根柢にすえて本格的に自己教育運動を
展開するのは，日本労働組合総同盟の設立（1921〔大正10〕年）と結びつい
て各地に「労働学校」が組織化されるようになってからである。この時
期はまた，小作争議の激発にみられる農民運動の高揚期であって「農民
学校」の設立が全国的なひろがりをみせていた。そしてまた，白樺派の
文学運動や社会主義思想の影響をうけた信州上田地方の青年たちの手に
なる「自由大学」の設立とその各地への波及という動きもみられた。こ
のように大正デモクラシー期を象徴するような民衆自身の教育・学習運
動の組織化は大きなひろがりをみせていたのである。

　しかし，この時にはすでに公権力の手による「上から」の組織化がす
すめられており，たとえば半官半民団体たる協調会による労務者講習会
(1921年)や，大日本連合青年団の設立（1924年）をはじめとする青年団体
指導の強化などの動きにみられるように「教化」事業の積極的な展開が
みられた。文教施策上も，「大逆事件」の翌1911年に設置された通俗教
育調査会から臨時教育会議（1917年設置）に受けつがれる「通俗教育」整
備の方針が具体化されて，文部省内の社会教育担当部局の新設・拡充と，

「労務者教育」「成人教育講座」などのような成人教育事業の組織化がす
すむ。また，社会教育主事設置 (1921年) をはじめとして職員制度の整
備も地方に及んでゆく。そして「国民精神作興ニ関スル詔書」(1923年)
を軸として，いっぽうでは，教化団体連合会結成などにみる「教化」体
制の強化が，他方では，前述の青年訓練所から青年学校の創設と義務化
にみる複線型学校体系がひろげられていく。それは学校教育における軍
国主義化のつよまりと一体のもの であり，師範学校・中学校に おける
「公民科」設置もこの時期になされている。こうして，やがてくる昭和
恐慌期を「教化総動員」でのりきるファシズム教育体制のなかで社会教
育はその重要な柱として位置づけられていくのであった。このように近
代学校教育制度の差別的構造の批判者として登場する民衆の教育運動は，
体制内抱え込みと抑圧の2つの方策の下でほんろうされただけでなく，
近代日本を特徴づける「天皇制」教育が育成し補充した若い世代の中に
ついにその継承者を見出すことなく窒息させられていったのである。こ
れが戦前日本の社会教育展開のすじ道であったといえよう。ここには，
欧米諸国にみられるような近代人権思想にうらづけられた教育について
の権利の自覚の定着はほとんどみられなかった。それは戦後の社会教育
実践の ほぼ30年にわたる 積み上げの中でいまようやく育ちつつある。
それはどのようにして可能だったのだろうか。それを以下の節でたしか
めてみよう。

1) 1971年の社会教育審議会答申は社会教育の領域と課題をひろく求めて，
少年期の社会教育を重視したが，同審議会は74年に「在学青少年に対する
社会教育の在り方について」の建議を行ない，現在社会的教育行政の重点
施策の1つとなっている。

2) 宮原誠一「社会教育の本質と問題」『教育と社会』金子書房，1949年。
「宮原誠一教育論集」第2巻『社会教育論』国土社，1977年。

3) くわしくは『世界教育史大系』36・37巻 (社会教育史 I・II) 1974, 75
年を参照。

2 社会教育の内容と方法

社会教育活動は，成人の主体的な自己形成の意欲を
学習の目標と
内容・方法の結合 中核として組織される自主的・自発的なものである

とされる。したがって学習の内容と方法も，成人＝
学習者自身の要求に即して選択され創造されることを原則とする。しか
し，このことは成人の学習における指導や援助がいっさい不要であるこ
とを意味しない。従来から成人の学習活動においては，学習要求の発掘
と学習内容の編成あるいは学習の展開に必要な教材・資料の準備や学習
方法の工夫などについて，さまざまな教育的な指導がこころみられ，そ
れによって学習の発展がみられてきている。

成人教育における自主性とは，このような教育的指導性を主体的に選
択し活用しうる力量をうちにつつみこむものでなければならない。そこ
で求められているのは，なんのために学習するのかという学習の必要の
自覚の上に立って，自分の要求に根ざした学習課題の設定をおこない，
それにふさわしい学習内容を求める力量を身につけることである。これ
こそ自己教育の主体へ自分自身を形成していくという目標の自覚化にほ
かならない。

戦後教育の民主的改革のもとでは，学習の目標はきわめて一般的に
「民主的な人間像の創造」に求められていたにすぎなかった。しかし，

60年代に入ると，現代社会における人間疎外への透徹した分析をふま
え，その克服をめざす学習目標と学習課題の設定の努力がみられるよう
になる。たとえば，社会的諸条件を主体的につくりかえる意識と行動を
つちかう政治学習の提言¹⁾などにそれは代表されようが，実際に，東京・
国立市にみる市民大学講座の例のように，「主体的判断能力」「主権者
意識」「歴史意識」の形成を目標にすえようとするこころみ²⁾が展開を
みせ，公的社会教育とりわけ公民館活動の可能性は大きなひろがりをみ
せた。また，この時期に注目されるのは，たとえば長野県下で生まれの
ち全国的にひろがりをみせた農民大学（生産大学）運動の実践である。そ
こでこころみられたのは，農業の技術と経営の学習を，農業をとりまく
社会的・経済的・政治的諸条件の学習と結合したいわゆる「生産学習と
政治学習」の統一であるが，それは，主権者意識につらぬかれた行動的
な農民像の形成を学習目標として明確にえがくものであった。そして，
この学習目標と学習内容の設定の視点のたしかさが，すぐれた学習方法
を生み出した。すなわち＜日常的な経験をもとにしたグループ学習——
専門家の参加・協力をもとめて経験の整理と理論的追求をこころみるセ
ミナー——この上に立って，講義を軸としながらグループ討議を加えた
高度な宿泊講座（生産大学）＞という三重構造の学習方法論がそれであ
る³⁾。これはまた日常的な学習の上に2年を1期とする大学講座を成り
立たせる自立的な学習運動の組織化の実験でもあった。このほか，60年
代後半には各地で高揚をみた住民運動が，学習目標を地域における生活
と生産と政治の主人公の形成に定めて，セミナーやシンポジウムなどの
いずれも高い水準の学習内容とそれにふさわしい学習組織と学習方法を
創出していた。これらの学習運動は，公的社会教育における学習内容の
編成と学習方法の深化の上に少なからぬ影響を与えることになり，現代
社会を生きぬく主体的人間像の形成を求める市民大学講座やセミナー方
式などの高度の学習方法が生み出されていった⁴⁾。社会教育の内容と方

法は，成人の学習における学習目標の追求と無関係には論じられない状
況になっているのである。

**戦後 社会教育に
おける学習組織論**
しかしながら，戦後日本における社会教育内容論と
方法論はこの課題に対して必ずしも自覚的にとりく
んでこなかった。それはもっぱら学習活動の組織方
法論的な発想によって学習内容論が論じられがちであったことにうかが
える。そこにあるのは，学習内容の体系化よりも学習集団の組織論が先
行するというわが国の戦前以来の伝統的な官庁主導型社会教育方法論で
ある。と同時にアメリカ占領軍の指導によって広範に導入された「グル
ープ・ワーク（group work）理論」によってその傾向がいっそう促され
た点も注目される。

　現在ひろくみられる学習の組織形態は，青年学級，青年教室，婦人学
級，成人学校，市民大学，高齢者学級など，いずれも，年齢，社会階層
別に，市区町村，公民館の単位あるいは学区などの地域的範囲で開設さ
れるものが多いが，ここでは社会教育の対象が学習の要求においてとら
えられているとはかぎらない。ここにあるのは，学習内容の編成が，参
加者の希望と開設者側の方針や意思にもとづきながら当該自治体の財政
や職員の状況を加味した上でこころみられるという対象別の内容編成論
である。

　このいわば「内容論なき方法論」は自分自身の学習要求があきらかに
されていない人びとに対してもひろく学習の機会を提供し，あらたに学
習の必要の自覚をうながして学習意欲を高め，全体として日本の学習人
口を増大させるという意味では積極的な一面をもっていた。しかし，人
びとに主体的な学習課題の探究を求めることがなかった点や，系統的な
知識や技術の習得や認識の発展をめざす高度な学習を，「注入的」で受
動的な「承わり学習」であるという批判によって軽視し否定した点で大
きなあやまりをおかしていたのである。いっぽう，学習内容別に学習組

織を編成しようとする方法論も，官庁主導型の人集め的な発想から脱しないかぎり人びとの関心への迎合という傾向を生み，異質の学習経験を通して関心の拡大をはかり認識の発展を求めるという積極性を欠くものとなっていった。

　しかし，前者は生活現実への鋭い認識と批判能力を集団討議の中で育てるというすぐれた学習方法と結びついたばあいには，系統的な学習への発展をみせた。それは 50 年代に展開をみた 生活記録学習・共同学習運動の中にみられ，前記の農民大学運動をつらぬく学習方法となっていく。また後者は，年齢・性別をこえて，たとえば農業問題講座・都市問題講座などを組織し，地域の産業・経済・政治・生活問題の多方面にひろがる学習を可能にする事例を生み，これも前述の市民大学講座やセミナーなどの発展を準備したものである。これであきらかなように，方法論優位の学習内容編成論を克服しうるか否かは，明確な学習目標をもち，それとむすびついた内容論と学習方法論を駆使しうるような教育実践の質にかかっていたのである。

　学習内容論の課題　　学習内容編成論は 60 年代 半ば 以降にようやく深まりをみせはじめる。この時期は社会構造の急速な変化にともなう生活課題の複雑化の下で多くの人びとに学習の必要性が意識され，従来の限られた対象を前提とした学習内容論や個別的な学習要求の単なる集合ではそれに応えられない状況がひろがったからである。こうした事情から，学習内容論の深化はまず社会教育の実践現場からの切実な要求として求められてくる。と同時に，そこには，学習課題の設定や内容の編成について国の行政指導がつよめられ，市町村社会教育活動の自主性が後退させられるという「国家教育権論」の再登場ともいうべき状況がふかくかかわっていた。学習内容の編成権を社会教育の権利主体たる国民＝住民の側に確保しようとする努力は，公民館の運営や講座編成における「住民参加」の事例をはじめとして各地で多様に生み出

されていたが，住民の信託をうけながら住民のためにその専門的力量を
学習内容編成に生かそうとする社会教育の職員にとって学習内容論の深
化は切実な要求であった。

　こんにち，学習内容の編成技術論については多様なこころみがなされ
ている。たとえば，ハヴィガースト (Havighurst, R. J.) の発達課題説に
学んだ年齢段階別学習課題の設定と，現実生活の要請する課題に即した
学習内容編成と，社会教育調査による学習要求の把握との３つの手法の
組み合わせを提言するもの[5]，また，人びとの学習要求を基幹としつつ
も，その対極としての「社会の必要」と，学習者の能力・場所・形態に
かかわる可能性を全体的に考慮して学習内容を編成すべきであるとする
説などは代表的なものである[6]。そのさい，いずれも「学習の必要」が
学習者自身によって自分自身の「学習の要求」として主体化されるべき
だと説かれているのは当然であろう。

　しかし，社会教育の本質に根ざして考えてみれば，学習者が自分の手
で学習目標を積極的に探究し，その学習に必要な諸条件を主体的に獲得
しようとする意欲をもち，自分自身を自己教育の主体に高めていく方向
に向かうように，学習内容と方法の体系をさぐることが求められなけれ
ばならないであろう。ここで，この問題についての考察をこころみた２
つの所説をみてみよう。

　60年代なかば，碓井正久は現代における社会・国家と個人の「背離」
状況の深まりと教育・学習の必要性の自覚化についてつぎのように述べ
た。すなわち，このような「背離」状況のもとでは両者の「分裂の回避
という長期の効用」をめざす系統的な学習が求められているにもかかわ
らず，現代社会のひずみを背負う成人には現実逃避的なネガティヴな行
動の傾向が生じやすく，系統的な学習には接近しない。むしろ，個人的
日常的な課題についての「即時的」「実用的」な「短期の効用」ある学
習に傾きがちであるから，日常的・実用的な興味・関心を織りなす配慮

のもとに，教育方法と緊密に結合した学習内容編成が必要である，というのである[7]。10年を経たこんにち，藤岡貞彦は「60年代後半から70年代にかけての勤労人民の直面する地域と職場での生活と生産をめぐる課題」の深刻化こそが「学習の客観的基礎的土台である」ととらえ，この課題に自覚的にとりくんだ学習活動の事例を公的社会教育のうちとそとにひろく見つけ出し，ここに公的社会教育への要求の増大とその民主化運動の高まりの可能性を見いだしている。そこでは，「今日の事態は学習なくしては切りひらけないという認識」が広範にひろがっている事態に即して，この認識を発展させる学習に対する目的意識的な指導性を発揮するものとしての社会教育職員の役割がつよく求められている[8]。前者のリアルな課題提起を，後者が社会教育職員の指導性の局面にひきつけてその積極的な展開を提言できたのは，この10年間に公的社会教育が施設の整備の面でも職員の増員や資質の向上の面でも大きな前進をみせ，成人の教育・学習活動が飛躍的な展開を示したことによる。そこでつぎに，この公的社会教育の可能性の問題を社会教育の施設と法の領域で考えてみることにしよう。

1) 碓井正久「社会教育の内容と方法」小川・倉内編『社会教育講義』明治図書，1964年。

2) 徳永功「公民館活動の可能性と限界」日本社会教育学会年報第9集『現代公民館論』東洋館出版，1965年。

3) 小林元一「生産大学の構造」宮原誠一編『農業の近代化と青年の教育』農山漁村文化協会，1964年。

4) くわしくは「戦後社会教育実践史」第3巻および「現代社会教育実践講座」第3巻，いずれも民衆社，1974年，を参照。

5) 岡本包治「社会教育における学習プログラムの研究」全日本社会教育連合会，1973年。

6) 辻功「日本人の学習要求」辻・古野編『日本人の学習』第一法規，1973年。

7) 碓井，前掲論文。

8) 藤岡貞彦「社会教育実践分析試論」五十嵐顕ほか編『講座日本の教育』
第9巻（社会教育）新日本出版社，1975年。

3 社会教育の施設と法

社会教育施設の意義 社会教育活動の組織主体は国民自身であり，教育行政の任務はその自主的自発的な発展にとって必要な「環境の醸成」にあるというのが，現行社会教育法をつらぬく基本原則であって，それが憲法と教育基本法の理念をうけていることはいうまでもない。教育が，国民の意思と直結しつつ，「あらゆる機会に，あらゆる場所において」保障されるためには，公民館・図書館・博物館などの社会教育施設が，国民の日常生活圏内に設置され，教育機関としての自立性を保ちつつ地域住民の意思をうけて運営されることが必要である。その社会教育施設は自ら教育活動をおこなうと共に，住民の多様な教育・文化・スポーツ活動を，施設の開放・設備の利用・専門職員による助言などを通して援助することが期待されているのであるが，ボランタリイズムの伝統の乏しいわが国において自立的な教育施設を社会教育活動の発展の拠りどころとする意義は小さくない。戦前社会教育は，半官半民団体を活用した「非施設団体中心性」がその特質のひとつとされているが[1)]，「教化」的社会教育の伝統の根をたちきり，教育活動の自由と自律性を確保するためには，公権力の介入を排しつつも公的な保障をうけることのできる独立的な教育機関が求められるのである。

　ところで，たとえば図書館であれ公民館のような総合的な施設であれ

博物館のような専門的なものであれ，あるいはまた青年の家，少年自然の家，婦人教育会館などのような対象別に分化された施設であれ，およそ社会教育施設に共通する基本的な機能は，その教育活動を通して人びとを自分自身の教育の主体に育てあげていく方向に組織することである。では，この教育的機能といまのべた運営原則とはどのように結びつけられるのであろうか。

社会教育施設の機能と運営原則　社会教育施設の機能をめぐっては，まず，社会教育活動における自主性を強調する立場から，教育機関を名とした公権力の関与を排除するために公立施設の機能を物的設備の整備という側面に限定せよとする主張がある。逆に行政機関の環境醸成義務を強調して社会教育主事等の指導担当職員の配置により教育委員会主催の教育事業の実施機関として機能させようとする立場もある。しかしこれらはいずれもその一面的な把握が批判されるべきであろう。

現実の社会教育活動の発展が求めている施設像は，住民にひろく開かれたゆたかな教育的機能と住民意思に直結した自立的な運営を基軸としたものである。この点にかかわって体系的に実践的に提言をおこなったものとして，東京都の公民館関係者のまとめた「新しい公民館像をめざして」(1974 年) という報告書がある。

そこでは，公民館の基本機能が，①住民の自由なたまり場，②住民の集団活動の拠点，③住民にとっての「私の大学」，④住民による文化創造のひろば，という 4 点に要約して示されるとともに，運営原則がつぎの 7 点にわたって確認されている。すなわち，①自由と均等（住民への公平な開放），②無料制，③学習文化機関としての独自性，④職員必置，⑤地域配置（ほぼ人口 2 万人につき 1 館），⑥豊かな施設整備，⑦住民参加の運営，である。

ここには，社会教育法の理念のゆたかなとらえかえしがみられるが，

なお深められるべき課題がある。たしかに施設利用の無料制（現行法規では公立図書館のみ法定——図書館法 17 条）と職員必置（公民館主事はなお任意設置である——社会教育法 27 条）の実現は，市町村段階の「自治的努力」であったし，住民の学習意欲の発展によって「運動的に創出」されたものである。しかしここで，それがつねに現実の社会教育政策との緊張をはらみながらすすめられてきた点を考えないわけにはいかない。いまや，一自治体の個別的な努力を横につなぎあわせ，ひろく国民の学習権をゆたかに保障させる力を，自治体をこえた住民と職員の結合の中に求めていくべきときなのではなかろうか。これは無謀な提言ではあるまい。しかし，そのための前提としてたしかめておかねばならない点がいくつかあるであろう。それを以下にみることにする。

社会教育民主化の課題と職員の役割　　公的社会教育の「民主化」とは，単に公的機関の主催する事業に民意を反映させる努力にとどまらず，住民と学習者の意思の民主的な結合を基盤とした社会教育活動の創造的な「計画化」としてとらえられねばならない。現行法における公民館運営審議会制度の原理は，この「計画化」をすすめる上で有効な根拠を提供している。その構成には，教育文化関係団体にかぎらず労働・産業団体の代表も参加しうる規定をもち，地域住民の意思が公民館運営に反映されるしくみになっており，館長の任命については教育委員会の決定に先行して審議し意見をのべる先議権すらもっている（社会教育法 28 条 2 項）。しかし，その反面，首長部局職員や議員がその構成に加われる点で教育行政と教育施設の独立性からみた問題もはらんでいる。この点からみて，民主的な「計画化」を実現する上で社会教育職員の教育専門職としてはたすべき役割は大きい。

社会教育主事，公民館主事，図書館司書，博物館学芸員は，国民の自主活動としての社会教育を組織し援助する専門職員として制度化されているのであるが[2]，その職務内容と配置のあり方については 2 つの流れ

がみられる。そのひとつは専門職員が社会教育活動の組織化と指導についての権限を有するとして，職員制度を施設や社会教育団体あるいは個個の社会教育活動を指導する体系としてとらえる立場である（前掲の社会教育審議会答申）。公的社会教育の制度的整備がすすめられた大正期に登場する社会教育主事は，国民教化事業の指導権限を与えられ，教化団体の活動と行政指導のあり方を統括していた。この社会教育主事は戦後民主改革期にいったんその姿を消す。51年法「改正」によって復活された際にはその職務が命令監督なき「助言・指導」に限定されたとはいえ，そこにつらぬかれていた個別的専門職への権限集中という発想は59年法「改正」以降にうけつがれる。すなわち，行政主導型の社会教育政策の展開の下で強調される「学習内容編成の中核」という職務論（72年社教審答申）や国庫補助をうけて都道府県が市町村に派遣するという配置論（派遣社会教育主事方式，74年度より予算化）にみられるところである。この立場は，公民館などの教育文化施設の教育活動の自立性や市町村社会教育行政の独立性を重視せず，これらがいずれも国家の行政作用のマネジメント・サイクルの中に組み込まれた一構成分子として機能するものとみなすのである3)。したがってこれは個々の施設におかれる職員の専門性よりもそれらを指導するものとしての社会教育主事の職務を重視する。したがって社会教育主事を，ほんらい自立的に運営されるべき施設へ配属させることを容認することになり，その事例も少なくない。

　これに対して，社会教育の主体を国民ととらえた上で，その自主活動に対する援助──「求めに応じた助言指導」──こそが職員の職務であるととらえる立場は，自立的な教育文化施設における職員の専門的力量をまず重視する。職員は集団的な努力をとおしてじぶんの力量を高めることができ，多様な学習要求の発掘と組織化と住民の学習・教育活動への援助をなしうるものであると理解される。したがって，職員の専門的力量も，その自律的な教育労働を支えるところの教育文化施設の自立性

も，そしてまた市町村社会教育行政の独立性も，学習・教育活動によっ
てたえず高められる住民の意識とそれに応える職員集団によって支えら
れてはじめてたしかなものになるのである。ここでは社会教育主事より
も施設職員の専門性の向上と量的な確保が重視される。これは戦後社会
教育行政の基本理念を，教育における住民自治思想のひろがりの中で深
めようとする立場とつながるものである。

　現実の社会教育行政が自治体を基盤にして展開されるものである以上，
自治体ごとに，国の政策動向とは独自に教育文化施設への職員配置を重
視していくことが可能である。しかしながら，現実には専門職員の養成
の軽易化と研修の強化・系列化を通して，社会教育主事重視と，国・都
道府県の指導態勢の強化がすすめられている。たとえば，社会教育主事
講習の取得必要単位数が軽減されたこと，教員からの登用の幅をひろげ
市町村への派遣を準備するための研修の強化がなされていること，県レ
ベルの研修センターの充実によって市町村職員の研修の強化と系列化が
すすんでいることなど，国の重点施策を積極的に担う職員養成がすすめ
られているのである。

**社会教育法の
民主的活用**
　このような状況のなかで，社会教育施設の計画的配置
と充実をはじめとして住民の学習活動の保障条件をゆ
たかにしていくにはどのような道すじが考えられるで
あろうか。それは自治体の教育行政機関が社会教育のほんらいの理念に
立脚した行政をおこなうことがまず基本となろう。しかし，施設配置な
どの外的事項についても，学習＝教育内容や情報資料の整備計画や文
化・スポーツの各分野にわたる事業計画などの内的事項についても，こ
れを住民意思と直結させることは関係職員の努力だけで十分とはいえな
い。自治体における社会教育のありかたを住民意思に直結させ，住民自
身を社会教育計画の実質的な主体にすえかえていくことが，社会教育の
民主的な発展の方向なのであって，そのためには現行法の積極的な活用

が求められるところである。現行社会教育法は,「すべての国民があらゆる機会,あらゆる場所を利用して,自ら実際生活に即する文化的教養を高め」るいとなみを社会教育としてとらえ,国と地方公共団体にそのための「環境を醸成するように努めなければならない」と規定している(第3条)。この原則の もとに,法は民間団体・公民館などの社会教育施設・学校の三者が自立的な教育活動を行なうことを奨励している。また,権力的支配を排するとともに,求めに応じた「助言・指導」によってその発展を保障することを基軸とした行政指導と,それにつねに民意が反映されるように諮問=建議機関として社会教育委員と公民館運営審議会をおくことを定めている。この法律は,民間団体への補助金禁止規定の削除をはじめ,いくたびか重要な「改正」がなされており,「社会教育の自由を守るために生まれた」4)と説かれた 制定当時の理念と 原則がそのまま守られているとはいいがたい。加えて国家教育権的な発想に立つ社会教育行政の動向は,「社会教育とは生涯にわたる人びとへの 配慮である」として,学習目標の提示を家庭生活から職業生活にわたってこころみようとする法「改正」案の準備をすすめられる状況である5)。

　しかしながら,いまのべたように現行法には,社会教育活動の「自主性」と「民意直結」の原則は保持されており,その積極的な活用によって社会教育の国民自身の手による発展の道すじは大きくひらかれうるのである。たとえば市民の申請にもとづく講座開設を制度化した自治体がある。これは青年学級振興法第4条規定(15人以上の青年による申請が学習計画をそえてなされたばあい市町村は青年学級を開設しなければならないとするもので,官僚指導のつよまりをよぶ法の制定に反対する運動の高まりによって法にとり入れられたものである)の活用を婦人学級にもこころみようとした努力の中から生まれ,いくつかの自治体にひろがったものである。社会教育委員や公民館運営審議委員への立候補をこころみて,生きた民意の反映をはかろうとするような動きが活発化しているところもある。このよ

うな事実は「慈恵」としての社会教育を拒否しそれを「権利」としてと
らえ直そうとする意識と行動が着実に育ってきていることを示している。

1) 碓井正久「社会教育の概念」長田新監修『社会教育』お茶の水書房，1961
    年。
2) ただし，公民館主事のみは，法文上の規定（社会教育法27条）を有し，
    文部省告示（公民館の設置及び運営に関する基準，昭和34年）にその資質
    の基準が示されているが，他の専門職のように法定の資格要件はない。
3) 今村武俊編『社会教育行政入門』第一法規，1972年。
4) 寺中作雄『社会教育法解説』序，社会教育図書，1949年。
5) 1970年暮に準備された法「改正」資料による。『月刊社会教育』1971年
    3月号，国土社，所収。

◉参考文献◉
◇小川利夫・倉内史郎編『社会教育講義』明治図書，1964年
◇碓井正久編『社会教育』第一法規，1970年
◇宮内誠一編『生涯学習』東洋経済新報社，1974年
◇五十嵐顕ほか編「講座日本の教育」9 『社会教育』 新日本出版社，
　1975年
◇『宮原誠一教育論集』第2巻（社会教育論），国土社，1977年
◇小川利夫『社会教育と国民の学習権』勁草書房，1973年

VI 教　師　論

1 教　職　論

教職論の課題　　公認された資格をもって教師の仕事を専門的な職業とする職域を教職と呼んでいる。教職にあたる英語はプロフェッション・オブ・ティーチングであるが，プロフェッションは知的専門職の意味でもともとは神学，医学，法律学等の学問的専門的技能をもって従事する職業に適う概念であり，ラーンド・プロフェッションといえばこれら三職業を指していた。今日では教職もまた知的専門職として一般に承認され，法制的にも公的な資格によって裏付けられるようになった。しかし，その専門性の内実，つまり実際に教師がどのような固有の専門的な能力，資質をもたねばならないかという点に関しては，医師，法曹などに比べてはるかに曖昧である。

　一般に教職といっても，庶民を対象とする貧民学校の伝統にたつ初等教育機関と，エリートの教育を行なってきた中等教育機関とでは，その教師の社会的地位や評価もまったく異なるものであった。近年になって，教職の統一という理念のもとに，初等学校の教師と中等学校の教師に対する法制的処遇は接近しようとしている。にもかかわらず，今日，依然として初等教育と中等教育を上下の関係でみる偏見は根強い。このことは，中等学校以上の教師が学識の水準によって評価され，教える仕事に

関する専門的な能力や資質はほとんど顧みられてこなかったことを意味
している。しかし，人間を教育するという仕事に関する専門的な知識・
技能や資質が具備されるのでなければ，教職が近代的な専門職として固
有の地歩を確立することはできないだろう。

　今日，進学優位の過度の教育への期待と，逆にそれゆえの教育への不
信が渦巻いている。こうした状況のなかで，教職への信頼を回復するた
めにどうしても必要なことは，教師が単に免許状という資格をもって教
師たりうるのでなく，未来をつくる子ども・生徒の教養と文化を素養と
して培う自らの使命を顧みて，ほんとうに教育をしているかどうかをく
りかえし問い直し，これに答えていくことによって，教師に成っていか
なければならぬということである。教師に期待されている固有の仕事を
果たしうるために，教師の資質と能力はどのようなものでなければなら
ないか，教師の力量はどのようなものでなければならないかを具体的に
明らかにすることが教職論の課題とされなければならない。

　聖職教師論　　教師論は，聖職教師論，教育労働者論，教師専門職論な
どに類型化される。これらの教師論はしばしば対立的に
論じられるが，それぞれ教師の自意識のある側面を語っているものであ
り，それぞれ歴史的な事情のもとにそれなりの理由をもって形成され展
開され，今日の教師論の錯綜した関係の中に反映されているのである。

　聖職教師の系譜を「七尺去って師の影を踏む可からず」という近世の
師弟倫理にまで遡って尋ねることは可能だが，近代学校の教師の聖職性
は，官員としての教師に対して国家によって付与されたものだと考える
ことができる。明治政府は小学校教員心得（1881年）を頒布したが，これ
は官制の聖職教師像を提示するものであった。この心得に，教師は「常
ニ己カ身ヲ以テ之カ模範トナリ生徒ヲシテ徳性ニ薫染シ善行ニ感化セシ
メンコトヲ務ム」べきであるとある。

　官制化された聖職教師像は，様々に展開され，また受容されて，教師

の自意識の一部を形成するに至った。1885年に初代文部大臣となった森有礼は，教師を養成する師範学校制度の改革に力を注いだが，これらの施策を支えた教師観は，代表的な聖職教師論であった。森は，教職への献身的な奉仕を説き，「其職タルヤ生涯教育ノ奴隷トナリテ尽力セサルヘカラサル至難ノ重任ヲ負フ」と論じた。森の教師論も究極には聖職教師論であったが，教師の本来の職分と教職の天職性に対する内発的自覚を強調している点で，小学校教員心得の系譜にそのまま重なりあうものではなかった。しかしその内発的自覚の側面は以後の聖職教師論には十分にうけつがれなかった。聖職教師論にはまた，教師の物質的処遇が不十分であっても，教育者精神を強調することによって教育界につなぎとめておくという手段としての側面もあった。

教育労働者論　1900年代には，自然主義文学等において教師像への批判が展開された。これらの動向と関連しながら，大正期の教師論には教師における人間の探究，教師を業とする勤労者としての自覚が鮮明にあらわれてくる。三浦修吾は，『学校教師論』(1916年) において，いわゆる学校教師を教育者とは区別して限定的に捉え，「人として自分の生活を充実させていくことは，之れは教師に限らず，商人にでも職人にでも必要なことで，それは自我の真の満足のためにやってゆかなければならぬが，何も教育者だからといふ意識を強ひてくっつける必要はない」と論じている。このような教師の人間性回復への要求は，教師の生活権擁護の意識と結びついて，1919年には啓明会が結成され（翌年日本教員組合啓明会と改称），「教育者の職分的自覚」を強調し，教員組合運動を展開した。啓明会が衰退した後，その再建運動などを経て，1930年には，日本教育労働者組合準備会が非合法の状態で設立された。これらの教員組合運動の展開の過程で，教師は労働者であるという自意識が明確化されていった。上田庄三郎は，『教育戦線』(1930年) で，「教員も労働者と同じく労働技術をサラリーで売る階級」である，したがって

「教育者はその教育技術のみによって生きる教育労働者である」と論じている。こうして教育労働者論が自覚化されていったが、その後十分な展開をみることなく弾圧されていった。

　第2次世界大戦後、敗戦の焦土の中からいち早く教員組合運動が起こり教育労働者観を継承していった。1951年には日本教職員組合が、「教師の倫理綱領」を発表し、「教師は学校を職場として働く労働者である」ことを表明したことによって、教育労働者という自覚はいっそうの広がりをもつことになった。

教師専門職論　　　教師専門職論は、教育労働者論に対して労働者というだけでは教師の仕事を規定することができないというところから、教職は「高い技術と倫理を必要とする教師という専門職」であるとして主張された。教育労働者観をもつ人々の間でも、教育労働の特殊性に関する考察に基づいて教職を専門職として確立しなければならないことが論じられた。しかしまた、勤評闘争の頃から、教職は専門職であるということを理由に、教師の労働基本権を否定ないしは制限しようとしたり、また教員組合ではなく職能団体（専門職団体）こそ教師の団体であるべきなど、教育労働者論とは対立する教師論として説かれることもあった。これに対して、1966年のILO・ユネスコによる「教員の地位に関する勧告」が、教師の労働者としての諸権利を前提としながら、「教育の仕事は専門職とみなされるべきである」と主張して以来、労働者性と専門職性を統一すべきだとする観点から教師論が展開されるようになった。また、この勧告に基づいて、専門職としての教職にとって、学問上の自由、職業上の自由は不可欠の要件であることが強調されるようになった。このような教職の専門職性の概念は、いわゆる教師専門職論とは必ずしも一致するものではないが、教育の自由と不可分の関係において、つまり自律的、専門的に教職を遂行しうる力量を前提としてようやく広く合意を得るようになった。

教師の仕事　人類は自然とのかかわりのもとで文化を創造し，それを伝達継承しつつ発展してきた。この事業は，親から子へ，師から弟子へと間断なく続けられてきた。そのための部族や地域の子育ての技術は，社会成員の共有の習俗として思慮深く考案されてきた。こうして子どもを一人前の成員にまで発達させるための子育てと文化の伝達継承とは，古来の，また，あらゆる社会形態のもとにおける変わらざる教育の仕事である。職業としての教師の仕事は，このような広義の教育のいとなみの中で，とりわけ子どもの人間としての発達に即した文化の伝達継承という仕事に，主たる役割をになってきたということができる。古代ギリシヤには，すでにポリスの市民のための教養として，文法，音楽，体操などを教える教師が存在したし，ソフィストのような職業的教師群が存在した。このことは，子育てのいとなみのなかから，時の社会的要請の強い知識技能を伝達する仕事が独立していったことを意味する。以来，文化の伝達継承に専門的に従事する職業的教師群はつねに存在したといえるだろう。近代的な公教育の成立にともなって，公的に雇われた職業的教師群が大量に必要とされた。かれら公教育の教師の仕事は，地域の子育てのしごとを排除し，いわゆる文化の伝達継承にかかわる教科に組織された知識や形象の教授活動に限定されるようになっていった。

今日，多くの教師にとって，その仕事の主要な部分は，この教科を教える仕事である。教科を教える仕事は，具体的には授業として展開される。教科の授業を，教育の価値とする一人ひとりの子どもの発達の可能性をひきだす実践として成り立たせるためには，授業の技術的過程が注目されなければならない。授業の技術は，必ずしも形式的に巧みな授業形態をめざすものではなく，教師自身の科学や芸術への接し方，教科教材についての解釈や見通し，子どもの実態についての択え方，自己の人間としての表現力などの集約として，適確な判断と創造的実践によって

表現される。

仕事のひろがり　これらの仕事をすすめていくためには，教材の背後にある科学や芸術について，教師自身が科学や芸術を自ら探究し，少なくとも特定の文化領域の創造的活動に従事しうる力量をもたなければならない。そしてこれを教材化する力量を発展させなければならない。そしてまた，授業の技術的過程についての多くの経験に学びつつ，つねに授業についての科学的探究者でなければならない。

　しかし，この仕事自体はそれだけでは完結しない性質のものである。教師の仕事は，教科の授業を中核としながら，授業の目的を十分に達成するためにも，子どもたちの生活指導，学級集団の指導，さまざまな問題をもっている子どもたちの指導を含まなければならない。さまざまな困難をかかえている子どもについて，専門家として教育的配慮をなしうる教育科学者としての力量をもたなければならない。教師自身の権利や，子どもたちの発達と学習の権利を保障していくための諸条件の整備，そしてそれを実現していくための教師集団の組織や地域の父母との連携なども，教師の仕事の重要な部分である。さらに日本の教師たちが，地域社会における知識人として地域の文化を守り育ててきた貢献の度合はきわめて大きい。今日，日本の教師は教科に具現されている文化の伝達を中心にしながらも，地域の子育ての習俗の中に継承されてきた，次代を築く子どもを一人前に育てようとする意志と技術から学び直そうとしている。そのことの中に，知識を単に装身具や予備手段としてでなく，次代の一人前の生活者として知識技能を身につけ，自ら文化創造の主体となっていく人間を教育することの可能性の探究が期待されているのである。

◈参考文献◈
　◇寺崎昌男編『教師像の展開』国土社，1973 年
　◇川合章・中内敏夫編『日本の教師』(全 6 冊) 明治図書，1969〜74 年

◇講座『現 代教育学』18「教師」岩波書店，1961 年
◇国民教育研究所編『現代日本教師論』日本教職員組合，1966 年
◇池田進・鈴木重信『現代の教師』第一法規，1968 年
◇「現代の教師」(『国民教育』創刊号，1969 年)
◇勝田守一『教育研究運動と教師』国土社，1972 年
◇小林栄三『民主教育と教師論』新日本出版社，1975 年
◇丸木政臣『教師とは何か』青木書店，1975 年
◇大槻健他『日本の教師』新日本出版社，1976 年
◇中内ほか編『現代教育学の基礎知識(2)』有斐閣，1976 年

2 教員養成論

教員養成の現状と問題 第2次世界大戦後の教育改革のもとで，大学における教員養成と開放的免許制度という教員養成の二大原則が確立された。しかし，その実情には，いくつかの問題がある。

1953年に，免許状授与のできる教員養成機関の課程認定の制度がおかれ，多数の大学等が養成課程を認定されたが，その多くは，中学校，高等学校の教員についてであり，小学校の教員については限られた範囲で養成課程を認定されるにとどまった。このことは，開放的免許制度のもとでも，小学校教員の養成については国立の教育大学・学部か，一部の私立大学および短期大学，指定教員養成機関などに依存せざるを得ないことを意味していた。ここからいくつかの問題が派生した。第1に，国立の教育大学，学部とくに単科の教育大学および大都市周辺地域の教育学部では小学校教員養成課程の学生入学定員が増大し，学部の規模が肥大化してさまざまな困難な教育条件が生じている。第2に，それにもかかわらず，短期大学や指定教員養成機関に多数の小学校教員の供給を依存している。第3に，教員資格認定試験制度が小学校教員にまで拡充され，形式的な資格としては高等学校卒業でも認定試験によって免許状を取得することができるようになった。第4に，学部段階において小学校

教員養成のみを目的とする新構想教員養成大学が設置されようとしている。これらの事実は，小学校教員の養成を中心に大学における教員養成と開放的教員養成の原則が，必ずしも貫徹され難い状況がもたらされていることを示している。

　小学校教員の養成は多くの一般大学ではなぜ行なわれないのだろうか。まず，免許法に定める履修要件を充たすだけの，教科専門教育，教材研究を開設するための人的・物的条件を用意することが困難であるという問題があろう。しかしそれだけでなく，小学校教員の社会的地位の低さ，学士をもって小学校教員を充当していくことへの消極的な意識など，小学校教員についての見方・考え方にも原因があるといえるだろう。

　次に，教員養成のための教育課程の問題がある。教育課程の構造を基本的に規定しているのは教育職員免許法である。免許法と教員養成課程のカリキュラムはもとより別のものだけれども，各教員養成課程がそれぞれ学生の教員となる志望に即してカリキュラムを構成する場合，免許法の履修基準に基づいてこれを構築せざるを得ない。その基本的な要素は，一般教育科目，教科に関する専門科目，教職に関する専門科目に大別される。このうち教職に関する専門科目は，さらに教育学，心理学等の教育諸科学，教科教育法，教材研究等の教科教育研究，教育実習などを要素として成り立っている。

　これらの教育課程の現状についてとくに問題となる点を挙げてみよう。この場合も第1に，小学校教員養成のための教育課程が問題となる。小学校の1級普通免許状の場合，教科に関する専門科目を6教科以上16単位，教材研究8教科16単位を要求されるが，これらはすべて2単位ずつばらばらの科目になっている。小学校の教科についての専門科目といってもその性格はきわめて曖昧だし，教材研究も従来，従属的な科目分野として担当者からははなはだ軽視され，学ぶ側にとっても科目が多く内容が浅いなど厄介視されてきた。しかもこれらの科目の相互の関係や

構造も追究されず，ただ形式的な単位履修をもって教師の資格としてき
たところに問題がある。また，2級普通免許状の場合，4教科の教科専
門科目と6教科の教材研究を要求されるだけだが，それでも教師として
やらなければならない仕事は1級免許状所有者と同じだし，教師として
求められている資質も変わらないはずである。この点からも，教員養成
の予備教育の段階においてどうしても必要な専門教育とはどのようなも
のであるかがあらためて問われなければならない。とくに，小学校の教
科に関する専門科目と教材研究を合わせて，専修を深くするとともに小
学校教育に関する総合的実践的研究を可能にするなど自由な創意ある専
門教育に道を開くことが考えられるべきだろう。さらに，小学校の低学
年と中・高学年の教育実践の差異を考慮した教師の資質が検討されるべ
きであろう。第2に，教員養成の教育課程のうち，教育実習をどう位置
づけるかという問題がある。師範教育における教育実習は，教員養成の
仕上げとして課され，一人前の教師としての完成教育と考えられていた。
しかし，今日，教員養成の教育および教育実習は必ずしも教師としての
完成教育をめざしてはいない。むしろ，教育実習を通じて教育の現実に
接し，教育実践を媒介にして自らの学び方を学び直す機会だと考えられ
ている。だが多くの場合，実際には教育実習の位置づけは曖昧で，その
指導は不徹底である。今日あらためて，教育実習の意義と役割，実習内
容，実習の条件などについて根本的に再検討する必要がある。一人前の
教師としての修練は，現職教員としての新任期間中に自由な研修と彼ら
に対する十分な指導体制によって保障されるべきである。この点に関し
て，試補制度が教員の選別の機構としてでなく新任教員の研修をどう保
障するかという見地からならば考慮される余地があるだろう。

教員養成論の中心論点　次に，戦後の教員養成論の中心となる論点を挙
げておこう。新制大学における開放的教員養成
制度に対する疑問は早くから提起されていた。とくに，教職には特別な

使命感をもった人材を供給しなければならず，そのためには目的を明確
にした養成が必要であり，とりわけ小学校教員の職能の訓練には目的養
成が必要であるということ，また，教員の計画養成という観点からも開
放的制度では需給のバランスがとれないので目的養成が必要であること
などが主張された。これに対して，戦後の開放的教員養成制度を堅持す
る立場からは教員養成のみを目的とするいわゆる目的養成機関の固定化
に対する批判が重ねられてきた。この間の論議には，問題は単に開放的
制度の是非ということにとどまらず，教員養成ルートの閉鎖化による国
家統制，教員養成ルートに国家が深く関与して教育を支配するという点
に問題があることなどが論じられた。

　このように，教員養成を目的とする教育機関に閉鎖的に依拠する教員
養成に対する批判はきびしく行なわれてきたが，実際に教員養成の教育
をどのように充実させていくのかという論議は貧しかったといわなけれ
ばならない。

　とくに教師というものを特別につくろうとする教育ではなく，すぐれ
た学問や芸術の教育を通じて素養としての能力を育成する必要があり，
あとは自ら選んで教師に成っていくべきだという考え方がある。このよ
うな教員養成観は今日も広く行なわれているが，すぐれた学問や芸術を
通じて素養としての能力を育成することをどう具体的に保障するのか，
また，とくに小学校教員の教育に関してどういう配慮が必要なのかなど
についてはほとんど顧みられることがなかったといわなければならない。

　これに対して，すぐれた教師の資質の育成をめざしての意識的な教員
養成の教育を追究しなければならない，とくに従来軽視されてきた小学
校教員の資質を育成しなければならないとする観点から，1969年ごろか
ら宮城教育大学の教員養成教育が展開されてきた。宮城教育大学の教員
養成教育の実践意識とそれに基づく問題提起は，教員養成を目的とする
大学つまり目的大学は是か非かというような論議にとどまることなく，

教員養成の教育を実質的にどう充実させるかという点にある。宮城教育大学の問題提起は，従来の教員養成論を清算するという位置関係を占めるというよりも，戦後の教員養成制度のもとでの教員養成教育の内実をつくりだすための実践と運動であると考えることができる。

教員養成の歴史　教員を養成するという意識は，17世紀の ラ・サール (La Salle) やフランケ (Francke, A. H.) などによって明確にされたが，19世紀になって公教育の制度化にともなって大量の教師を必要とするようになってから一般化された。日本においても，教師を養成するという意識は近世には見出すことができず，西欧の教育の輸入紹介と近代学校の創設にともなって導入されたのである。1872年，学制頒布に先立って文部省が設立した小学教師教導場，すなわち師範学校が教員養成の事業の 嚆矢であったが，師範学校は米人スコット (Scott, M. M.) を招いてアメリカの教授法を伝習するという方法で教師の養成に着手した。1886年の師範学校令，1897年の師範教育令に基づいて，初等教員の養成機関である府県立の師範学校と中等教員の養成機関である官立の高等師範学校の制度が確立された。しかし，師範学校で養成された教師たちがもっとも多数を占めたのは，1935年前後で全教員の約60パーセントとみられる。中等学校については，師範学校を例外として，常に約20パーセントにすぎなかった。その他の教師は，いわゆる養成された教師たちではなかった。

師範学校はまた，初等教育に接続する中等教育機関であったが，1897年の拡充（女子師範学校や第二師範学校の新設）に続いて，1907年には，義務教育年限延長（6年制）にともなって第2部が設置され，中等教育終了者に師範教育の道を開いて拡充をはかった。この第2部制度を母体として，1943年，戦時下において師範学校の入学資格は，中学校卒業程度をもって本則とすることになり，この時師範学校は専門学校程度の官立の学校となったのである。戦前の師範教育については，その画一性，

閉鎖性について明治末，大正期からすでに多くの批判があったが，根本的な改革をみることなく戦後をむかえることになった。

　戦後の教育改革に際して，師範教育制度が撤廃されたことは，教員養成のあり方に重要な改革をもたらした。1949年，師範教育に代わるものとして，主として教員養成を行なう単科学芸大学，学芸学部および教育学部が発足した。しかし，師範学校，青年師範学校を母体としたこれらの大学学部は，大学としての人的物的諸条件の整備を十分に保障されなかったために，多くの場合，旧制教員養成諸学校の形式的な大学昇格にとどまった。また，同年には教育職員免許法が制定されて，これらの大学以外においても，法の定める免許状要件を取得すれば教員となるための基礎資格を得ることができることとし，ここに開放的教員養成制度が基礎づけられたのである。それ以来，30年を経過して，この制度はすっかり定着したかにみえる。

今後の課題　しかし，日本の教員養成のしごとは，戦前の師範教育においても，今日の制度のもとにおいても，はたして実質的な意味でどれだけ教師を養成し得た，あるいは養成しうるといえるだろうか。教師の養成と教育をめぐる今日の問題は，制度上の問題もさることながら，教師としての自己教育によって自ら成長し続ける基礎的資質をどう教育し養成するかという点にある。そのために，形式的な資格付与に陥ることなく，教師の専門的な力量の基本を培うという意味で，教科に関する専門教育，教科教育および教育科学の研究と教育について相互に関連を保ちつつその水準をどう高めていくかということが重要な課題となる。多くの教員養成課程が個別専門分野の領域では一般大学に比して劣悪な研究教育条件のもとにおかれながらも，それぞれの専門分野の研究教育の水準を高めるための諸条件の整備と独自な創意工夫がいっそう必要である。さらに，教師の養成と教育という観点から，専門諸領域と教科教育および教育科学の領域が相互に連携して特色ある研究教

育を創出することに関して，さまざまな協同関係をつくりだしていかなければならない。このような自治的な研究教育体制への意志の緊張こそ，今日，教員養成を行なう大学，学部にとって何にもまして緊急の課題だといえるであろう。とくに，初等教員の養成と教育に関しては，全科担任制という職能上の特質から，幅広い教養が求められるが，それと同時に特定領域についての深い専門的な教養を身につけることによって初等教育を学術的な文化的内容の豊かな領域に変えていくことができる。そのためには，教員養成教育が，初等教員の教養の広がりと深まりとに十分に対応しうる体制をつくりだしていくことがきわめて重要であるといえる。

　さらに，すぐれた教師の養成には，教育実践の現場とのさまざまな結びつきがいっそう考慮されなければならない。ひとつは，養成の段階においても，教育実習をはじめ，現場の教師の実践についての参観，研究討議などが重要な教育内容とされるべきである。もうひとつは，教師の教養と技術とが教師としての不断の探究によって熟練を加えるという性質をもっていることから，現職教育が重視されなければならない。このような教育実践との接点こそが，教員養成にかかわる大学の教科教育や教育科学の研究教育をたえず革新していく原動力となるだろう。現職教師の研修を保障する制度をどう実現していくのか，教師の養成と教育にかかわる大学の研究教育が現職教師の仕事とどのように具体的に結びつき，現職教師の自主的な研修の要求にどうこたえていくのかはなお今後の重要な課題である。それにはまず，現職教師の自由な研修の機会を制度的に保障することが必要である。それと同時に現職教師の主要な受入れ機関となるべき教員養成機関が，教育実践の具体的な事実とのかかわりのもとで教育研究をすすめていく体制をつくりだすことが，基本的な課題であるといえるだろう。

◈参考文献◈

◇海後宗臣編『教員養成』東京大学出版会，1971年

◇川合章・中内敏夫編『教員養成の歴史と構造』明治図書，1974年

◇横須賀薫『教師養成教育の探究』評論社，1976年

◇中内ほか編『現代教育学の基礎知識 (2)』有斐閣，1976年

3 教師と教育政策

教育政策とはなにか 現代社会では，教育はひとつの巨大な社会現象である。そしてその中心は，国家的，社会的に組織された制度としての教育，つまり公教育制度（public education）である。

公教育制度は，資本主義社会の発展のある段階の産物である。資本主義の発展は国民市場とこれにみあう中央集権的統一国家をつくりだした。これは公教育制度の成立の重要な背景であった。ヨーロッパ諸国で公教育制度が実際に確立されるのは，19世紀後半とりわけ1870年以降である。このころ，ヨーロッパ資本主義は帝国主義の段階に入り，国内的にも国際的にもさまざまな矛盾・対立が激しくなっていた。各国で労働者階級が台頭し，労働運動が社会主義思想との関係を深めながら急速に発展していた。労働者階級は普通選挙制度や標準労働日の確立とともに権利としての教育の制度的保障を強く要求した。それまで，貧民の教育に不熱心だった資本家階級は，個々の企業の利害をこえた総資本の立場から公的な教育制度の確立へむかった。支配層が公教育制度確立に期待したことは，貧民の無知が社会体制の変革へとつき進むことを抑えることであった。しかし，その背後には，生産技術の急速な進歩に相応する一定水準の労働力を要請する大工業の発展があったのである。

このようにして姿をあらわす公教育制度の確立こそ，国家による教育

政策（educational policy）とよばれてきたものの成立の起点である。教会（寺院）に代って国家の手によって確立された公教育制度の基本は，国家の教育政策により規定されることになる。

　教育政策はその主要な領域として，教育の目的と内容，学校体系と教育行政の機構，教員養成制度と教員組織および教育費問題などをふくんでいる。しかし，教育政策そのものをどのような概念として規定するかは，必ずしも自明ではなく，いくつかの定義がある。

　教育政策に科学の光をあてた学者のひとりは，日本では教育行政学者の宗像誠也である。従来の概念規定において権力の契機が捨象されていることの非科学性をついた宗像は，「教育政策はある教育理念が権力に支持されたとき成立するものである。または，教育政策とは権力に支持された教育理念である」[1)]とした。この定義は，教育政策が近代国家に固有なものであり，権力の契機を不可欠とすることを明確にした点で画期的なものであり，その後，積極的な論議をよびおこした。西滋勝は，宗像定義が教育理念の実現過程として教育政策をとらえていないことおよび「権力」概念がいつの時代のどのようなものにもあてはまる抽象的非歴史的なものとなっていると批判している[2)]。海老原治善も，宗像定義の抽象性・非歴史史性を指摘し，近代資本主義社会を前提にした教育政策を要旨つぎのように規定している。「教育政策とは，総資本＝ブルジョアジーの代行機関である国家権力が，国民諸階層を対象に，労働能力の基礎陶冶，体制維持のイデオロギーおよび軍事能力の形成を意図的計画的にめざしてとる教育上の行政措置の体系である」[3)]。また，伊ヶ崎暁生は，革新政党や教員組合も教育政策を提起している事実にてらし，教育政策の主体を国家権力のみに限定することは現実の教育運動の課題にあわないと批判し，「教育政策とは，教育にかんする諸階級，諸階層の根本的な利益あるいはさし迫った諸要求を表現し，その実現の方向と方法を明らかにしたもの」[4)]と規定している。

　しかし，宗像定義は，絶対主義とか資本主義とかの特定の教育政策ではなく，それらを包みこんだ教育政策についての本質的規定として出されたものであること，また，教育運動も教育政策をかかげている事実を認めたうえで，なお，教育政策における国家権力の契機を重視した規定であることを考えるとき，これらの批判は，それぞれ積極的側面をもちながらも，批判としては十分かみあったものとはいえない[5]。

教育政策と教師　わが国の教育政策の特徴のひとつは，その特異な教師政策にみられる。戦後の一時期をのぞけば，わが国の教育政策（教師政策）は教師の諸活動を抑圧するものとして強く作用してきた。

　戦前においては，教師は軍人，警察官とならんで特別な職業とされた。市民的自由や政治活動の自由は，国民一般にとってもきわめて不十分なものであったが，とりわけ教師にあっては，小学校教員心得（1881 年）ほか一連の法令により厳しく禁止されていた。戦前の教師は，政治に無関心，無批判であることにより，もっとも政治的な天皇制下の官僚機構を教育の分野で支えることを要求されたのである。公立小学校教師は「待遇官吏」（官吏に準じた待遇を受けること）とされながらも，賃金・労働条件はけっして良いものではなく，他面，その労働者性の法的確認は一貫してなされなかった。また，教員免許令や師範学校令などにより教師の資格はかなりきびしくきめられていたにもかかわらず，教師の専門職としての教育の自由はないにひとしかった。

　憲法・教育基本法を中心とする戦後教育改革は，とりわけその初期に，教師と教育政策との関係についても画期的な転換をもたらした。憲法・教育基本法制は，教育が国民の権利であり，教育は国家権力や特定の社会的政治的勢力に支配されることなく，「教育の条理」に即して行なわれるべきことを強くうちだした。教育行政は教育内容に介入すべきでなく，教育の自律性とりわけ教師の専門職としての自律性（教師の教育権

と教育の自由）を保障すべきであると説かれた。また教師は，労働者階級の一員として労働基本権をはじめとする諸権利，一般市民のもつ市民的権利を全面的に保障された。

しかし，こうした教師と教育政策の新しい関係は，長くは続かなかった。「教育二法」（1954年）ほか1950年代半ば以降の一連の教育政策は，戦後教育改革の原則から逸脱しはじめる。ふたたび教師の教育活動にたいする抑圧物としての性質が強まる。そして60年代には，教育が経済政策に従属していく過程を擁護するものになっていく。しかしながら，戦前との決定的なちがいは，教育政策の再転換にたいして，これに抗する社会的勢力が成長してきたことである。それは批判と抵抗のなかで，新しい教育と教育政策を創造する主体へと成長しつつある。

教師の教育権　ここで，Ｉ であつかった教育権の問題を，教師の問題として再論しておくことにしよう。宗像誠也は，この点について「教育の荒廃をもたらす国家権力の教育政策との戦いのなかで，すなわち実践的な必要に迫られて，教育権問題が意識され，自覚されて来たのであった」[6] とのべている。

憲法・教育基本法制のなかで教師に保障された権利は，さきにもふれたように大きく3つにわけられる。第1は，ストライキ権をふくむ労働基本権であり，第2は，政治活動の自由をふくむ市民的権利であり，第3は，教育権（教育の自由）である。今日，わが国の教育政策担当者は，これらの諸権利のいずれについても否定的ないしきわめて制約的対応をとっている。しかし1966年の ILO・ユネスコ「教師の地位に関する勧告」は 〝国際的良識〟として，教師がこれらの諸権利を積極的に享受すべきことをうたっている。

このなかで第3の教育権（教育の自由）は，教育に直接たずさわる教師にとって固有な権利である。教師は教育の専門家として，子どもの成長と発達を正しくうながし，次代の主権者としての力量の基礎をすべて

の子どもたちに保障することを主要な任務としている。子どもの成長と
発達を正しく保障する不可欠の条件のひとつは，教育がなによりも「真
理教育」（教科書検定制度の是非をめぐっておこなわれた東京地方裁判所の判決・
杉本判決で使われたことば）であることである。教師が「真理教育」を実践
するためには，権力的統制から自由でなくてはならず，不断に進歩して
いる学問的成果をたえざる学習研究によって摂取し，自らの教育実践に
生かしていくことが必要である。その際，教師のおこなう教育課程の編
成は子どもの発達段階に即するとともに，教育科学の成果にそって慎重
になされなければならない。こうした「教育的配慮」を理由に教師の
教育権（教育の自由）を強く制約する主張と政策が教育行政関係者によ
ってとられている。しかし，教育の本質と子どもの成長と発達に即した
正しい教育的配慮こそ，教育の専門家として教育に直接たずさわる教師
および教師集団がもっともよくなしうるといえる。

　教師の教育権（教育の自由）の具体的内容としては，学校の自治的運
営，教育課程の自主編成，教科書・教材の採択，研修の自由，成績評価
権をはじめ国や地方自治体の教育政策策定へ参加し協議する権利など重
要なものがあげられる。

住民運動と教師　教師の一人ひとりが外にむかって教育権（教育の自
由）を主張できる根拠は，直接的には教師が教育の
専門家であるからである。しかしこの権利は，個々の教師が勝手気まま
に教育する自由ではなく，子どもの発達と学習の権利および父母，住民
の教育権に究極的に規定されたものといわなければならない。教師は子
どもの発達を保障する教育活動を通して父母，住民の信託にこたえるこ
とを要請されている。教育基本法が「教育は，不当な支配に服すること
なく，国民全体に対し直接に責任を負って行われるべきものである」
（第10条1項）と規定しているのもそのためである。

　近年，全国で急速に広がりつつある父母，住民の教育運動は，教師の

専門性をあらためて鋭く問いはじめている。教師は専門家の名によって父母，住民の教育要求，教育批判を避けるのではなく，自らすすんで父母，住民と話しあい専門性をかけてそれらに正面からこたえる努力をすることにより，自己の専門性を不断に高めていかねばならない。また教師相互のあいだで，自らの教育活動を交流し，点検し，批判しあうことにより学校全体の教育力を高めていくことが強く要請されている。

1)　宗像誠也「教育政策」教育大学講座『教育行財政』金子書房，1951年。

2)　西滋勝「教育政策決定の力学」『教育社会学研究』第15号，東洋館，1960年。

3)　海老原治善『現代日本教育政策史』三一書房，1965年。

4)　伊ヶ崎暁生『国民の教育権と教育政策』青木書店，1972年。

5)　岡本洋三「教育運動史の方法論についての試論」『季刊教育運動研究』創刊号，あゆみ出版，1976年，参照。

6)　宗像誠也「教育権論の発生と発展」『全書国民教育』第1巻，明治図書，1967年。

VII 教育学の歴史と課題

1 教育研究の歴史

教授学の成立　　教育研究の起点をどこに求めるかは，論議を要する問題である。固有な意味での教育学とはいえないが，広く人間の発達と教育に関する最初の明確な反省的思考と解すれば，それは古代ギリシヤの哲学者たち，ソクラテス (Sōkratēs, 469〜399 B. C.) やプラトン (Platōn, 427〜347 B. C.) などに求めるのが至当であろう。しかしここでは，人間の発達にかかわる教育の問題を主要な研究対象にすえ，しかも組織的に究明しようとした 17 世紀ヨーロッパの教授学 (Didaktik) をもって，本格的な教育研究の成立と把え，その論述から始めよう。

　17 世紀のヨーロッパは，生産力と生産技術の発展に支えられ，科学的な方法意識を高めてきたが，このような新しい「方法」にもとづき，人間形成の方法的技術学として結実したのが教授学であった。それはラトケ (Ratke, W., 1571〜1635) らの先駆的業績を基礎に，コメニウス (Comenius, J. A., 1592〜1670) による『大教授学』(Didactica Magna, 1657) として完成した。本書の内容は，教育目的論から学校制度論までも含む包括的なものであり，その中で，人間の発達と教育に関する自然にもとづく法則性が解明されているが，その中心的な関心は，どのようにしたらも

っとも効果的に教え・学ばせることができるか，という方法の問題に向けられていた。しかし，その際に注目すべきは，かれがどのような歴史的課題意識に支えられて，方法の問題を追求したのかという点である。かれは三十年戦争の過程で，祖国チェコ（ボヘミア・モラヴィア）を追われ，生涯亡命生活を余儀なくされた。しかし悲嘆のどん底にあってなお，祖国の独立回復と人類の恒久平和を求める情熱につき動かされ，そのような歴史的政治課題の解決を，残された最後の希望としての子どもと青年の教育にかける，という姿勢で教授学の研究を深めたのである。コメニウス教授学の性格を理解する上で，この点を見落してはならない。

近代教育思想の開花　近代ヨーロッパの教育思想は，ルソー（Rousseau, J.-J., 1712~1778）の『エミール』（1762 年）において開花する。ルソーは，身分制秩序の支配する旧体制下のフランスに身を置き，市民革命の到来を天才的に予見しながら，そのような歴史の転換期を生き抜くことができ，かつ来たるべき市民社会の主体的担い手たるにふさわしい人間の形成という課題を『エミール』の中で解明・提示している。教育思想史上の彼の功績は，子どもの発見にあるといわれているが，それは，発達可能性をもつ子どもの，おとなとは区別さるべき固有性の発見と承認であり，そこから，子どもの発達と学習の権利，その権利を保障する教育，という基本思想も導き出される。ルソーにおいて，人権思想と結びついた発達の視点が教育史上はじめて明確に打ち出されたともいえよう。子どもの固有な権利というルソーの思想は，フランス革命期のコンドルセ（Condorcet, 1743~1794）に継承され，古い世代を越える「新しい世代の権利」と表現された。また，ルソーの教育論には自然主義の方法原理が貫徹しているが，性善説の立場から，それは「消極教育」論として展開された。ルソーの教育思想は，Ⅰ章の 2 でものべたように次の時代の実践的な教育思想家たちにも強い影響を及ぼした。彼らは，それぞれの状況と課題に応じて，その実践と理論を多様か

つ個性的に展開したが，そこには，民衆層の子どもの人間的発達と解放を願い，そのための教育を創造するという共通の思想が息づいている。これら近代教育思想の全体を遺産として受け継ぐことが必要である。

体系的教育学の創始　　ヘルバルト (Herbart, J. F., 1776〜1841) の歴史的功績は，何よりも，教育論や教育思想というレベルの教育研究を学問体系としての教育学 (Pädagogik) にまで高めようと企てた点にある。

18世紀の後半に入り，教育問題に対する関心の一定の高まりを背景に，ドイツの大学で史上はじめて，教育学の講義がおこなわれるようになった。カント (Kant, I., 1724〜1804) の場合にみられるように，哲学の教授が何学期かに1度の割で担当するのが通例であったが，このことは当時の諸学における教育学の位置を物語るものであった。

ヘルバルトの場合も，哲学講座の教授として教育学に関する講義や著作活動をおこなったが，こうして最初の体系的教育学書として世に出されたのが『一般教育学』(1806年) であった。彼は，独自な表象心理学にもとづいて，人間の精神発達の内的構造を追求し，教育学の体系化を試みたが，その過程で，思想圏 (表象群) の形成説や教育の3領域説 (管理・教授・訓練)，表象統制としての教授段階説 (明瞭・連合・系統・方法) などを導き出した。とりわけ，教授の本質論にかかわる教育的教授 (erziehender Unterricht) の思想や，教育学の基本概念として陶冶性 (Bildsamkeit) を設定したことなどは特筆に値する。しかし，以上の功績にもかかわらず，ヘルバルトの学説は，全体として主知主義的で思弁的性格が強いものであったといわなければならない。しかも，「教育の目的は実践哲学 (倫理学) に，教育の方法は心理学による」という彼の有名な他律的二元論は，教育学の自立性を確立するという課題に長く影を落したというべきだろう。

ヘルバルトの学説は，ツィラー (Ziller, T., 1817〜1882) やライン (Rein,

W., 1847~1929) らによるヘルバルト学派の理論として継承され，ドイツ
における国家公認の教授理論となっていくが，その過程で，5段階教授
法などに象徴されるその形式化が進んだ。

教育学から教育科学へ　19世紀後半のヨーロッパにおいては，ヘルバル
ト学派の理論が勢力を誇ったが，それに対して，
世紀の変り目に，子どもの自発性を尊重する改革教育学 (Reformpädago-
gik) の運動がおこり，さらに，その自然主義的・個人主義的傾向を批
判した新しい規範的教育学として，ナトルプ (Natorp, P., 1854~1924) 等
を代表者とする新カント派の教育学（社会的教育学や批判的教育学の名でも
よばれる）が台頭してきた。また，ディルタイ (Dilthey, W., 1833~1911)
を始祖とする精神科学派の教育学も力をもちはじめてきていた。以上の
教育学諸潮流の全体に対して，学問方法論の立場からきびしい批判を加
えたのは，フランスの社会学者のデュルケム (Durkheim, É., 1858~1917)
であり，彼の教育科学論であった。

　デュルケムによれば，従来の教育学 (pédagogie) は総じてあるべき教
育を求める規範学であったが，教育はひとつの社会的事物ないし事実で
あり，教育学が科学となるためには，その実証的研究としての教育科学
(science de l'éducation) が生みだされなければならない，とされた。こ
の教育科学の目的は，教育の事実の認識と究明であり，それゆえ，科学
者は知るためだけという没価値的態度を堅持しなければならない。ここ
では，従来の教育学は科学と技術の中間に位置するものとみなされた。

　デュルケムの主張と類似したものとしては，ドイツのクリーク (Krieck,
E., 1882~1947) の教育科学 (Erziehungswissenschaft) 論があり，事実認
識と没価値性の主張という点で共通性をもっている。しかし，彼の教育
理論は，没価値性の主張とはうらはらに，民族共同体の理念を支えるナ
チズムの御用理論として機能していった事実を忘れてはならない。

　ヨーロッパの教育科学の思潮が，価値論を排除し，実践的有効性と一

線を画していたのに対して，デューイ（Dewey, J., 1859~1952）らによる
アメリカの教育科学（science of education）の運動は，実践的要請にも
とづき，教育事実の実証的な客観的認識を求めるものとして成立し，展
開した点に特色がある。

　デューイは，アメリカの代表的な哲学者として，プラグマティズムの
立場から経験の哲学を展開したが，教育にも強い関心をもち，1896年に
シカゴ大学に教育史上はじめての実験学校（experimental school）を設け
て，教育の実践的・実証的研究の端を開いた。その報告書が『学校と社
会』（1899年）である。彼の教育学上の主著は『民主主義と教育』（1916
年）であるが，彼はその中で「教育とは経験の改造ないし再組織である」
とする基本認識に立って，子どもの生活経験や主体的学習活動，問題解
決能力の発達を重視した教育論を展開している。そこにはさらに，社会
改造と教育，学校教育と生活，教師の役割などの諸問題に関する鋭い理
論が含まれている。また『教育科学の本源』（1929年）では教育科学の研
究方法論が説かれている。そこでは，経験的教育事実の抽象化，教育実
践の一般化としての教育理論を求め，このようにして得られた個別的法
則や知識（理論）の体系的組織化として教育科学を構想している。しか
も，理論を求める方法としては，仮説を立て，実験や調査などにより実
証的に論証するという方法を取っている。このようなデューイの基本見
解に沿う方向で，その後のアメリカにおいて組織的な実証的教育研究が
発展していくが，それは，教育科学というより，もっと広く教育の科学
的研究（scientific study of education）と名づけるのがふさわしいもので
あった。

日本の教育学　　わが国では，明治のはじめから10年代にかけては，主
　　　　　　　　に米英の教育学書が邦訳され，スペンサー（Spencer, H.,
1820~1903）や，アメリカ経由でペスタロッチ（Pestalozzi, J. H., 1746~1827）
の教育思想（開発教授法等）が紹介された。このような中で，伊沢修二

(1851〜1917) が，1882（明治 15）年に，わが国最初の『教育学』という表題の著書を出した。それは，師範学校制度の取調べのため，文部省からアメリカに派遣された伊沢が，滞米中に師範学校で聴講した講義ノートをもとに，帰国後に著述したものであった。近代の日本では，このように，日本人のあいだにそれまであった教育論とは切断された形で教育学の歴史が始まった。

1887（明治 20）年に，ドイツ人講師ハウスクネヒト（Hausknecht, E., 1853〜1927）が帝国大学文科大学に招聘され，ヘルバルト派の教育学を講じてから，公教育制度の整備・確立と軌を一にして，公認の教授理論としてこれが体制化され，「学校教育学」として各地の師範学校や教師のあいだに定着していった。

大学や師範学校での教育学研究のなかには，1920 年代に入って，当時の国際的なデモクラシーと児童中心主義運動の影響をうけるものが生じた。小西重直（1875〜1948）や篠原助市（1876〜1957），及川平治（1875〜1939）といった人たちがそれである。なかでも篠原は，戦前日本の講壇教育学における最大の理論家といえるが，新カント派の理論に学びつつ，教育の本質を「自然の理性化」ととらえる立場から，新しい理想主義的な規範的教育学の体系をうちたてた。また，官界から出て，自分で私立学校をつくり旧来の学校教育学の不毛をきびしく批判した沢柳政太郎（1865〜1927）のような人もでた。

旧来の学校教育学をしりぞけるだけでなく，さらに篠原らの「新教育」学に対しても，現実遊離の観念的・思弁的理論であるとして批判を加えたのは，1930 年代に入って盛んになった「教育科学」の主張であった。その理論的指導者である阿部重孝（1890〜1939）や城戸幡太郎（1893〜 ）らにより編集・刊行された岩波講座『教育科学』全 20 巻（1931〜33 年）の表題にも端的に表明されていた。

わが国における教育科学の探求は，デュルケムやクリーク等の西欧の

教育科学論やアメリカの教育科学運動などの紹介に端を発したが，それが日本の教育研究の現実的課題と結合した形で，主体的に発展していった点に特徴がある。日本の教育科学論の基本的立場は，現実の教育問題からの実践的要請にもとづきつつ，教育の事実を客観的・実証的に究明するというものであり，したがって，そこにはデュルケム流の没価値的態度はみられず，むしろ，その研究成果が課題解決や実践指導の場に戻されることが期待されていた。そのいみでは，アメリカの教育の科学的研究の考え方に近いといえよう。また，阿部らの教育科学論には，学校の教師による教育実践にもとづく教育研究の重要性という見解も展開されていたが，このような理念に導かれて，研究者（学者）と実践者（教師）により結成された教育科学研究会（1937 年 創立）などの研究活動は，同時代の生活綴方運動などの民間教育運動の成果も吸収してその理論化をはかろうとした点で，注目すべきものであった。

❦参考文献❦

◇コメニウス，J. A.『大教授学』(鈴木秀勇訳) 明治図書，1962 年
◇ルソー，J.-J.『エミール』(今野一雄訳) 岩波書店，1962～64 年
◇ヘルバルト，J. F.『一般教育学』(三枝孝弘訳) 明治図書，1967 年
◇デュルケム，É.『教育と社会学』(田辺寿利訳) 冨山房，1938 年
◇デューイ，J.『民主主義と教育』(松野安男訳) 岩波書店，1975 年
◇デューイ，J.『教育科学の本源』(杉浦宏訳) 清水弘文堂，1971 年
◇梅根悟・長尾十三二編『教育学の名著 12 選』学陽書房，1974 年
◇沢柳政太郎『実際的教育学』明治図書，1962 年
◇篠原助市『理論的教育学』同文社，1929 年
◇篠原助市『教育の本質と教育学』同文社，1930 年
◇城戸幡太郎『教育科学的論究』世界社，1948 年
◇海後宗臣『教育学五十年』評論社，1971 年
◇稲垣忠彦編『教育学説の系譜』国土社，1972 年

2 教育学の現状と課題

戦後日本の教育学　わが国における教育学の歩みにとって，第2次大戦の終結は，新しい出発のための転期となるものだった。なによりも，「国体」のタブーから解放されたことが，教育学研究の発展にとっても，重要な条件となった。このような前提のもとで教育学の研究は多様に発展してきたが，その展開と現状を特徴づける主要な点を列挙するとすれば，つぎのようになるだろう。

　まず第1に，研究分野の拡大と強度の専門分化，それにともなう研究機関の拡充ということがいえよう。この点について端的には，戦前に教育学の講座が置かれていた旧帝大や文理大系統の大学において，教育哲学や教育史を中心とする文学部教育学科が，戦後，教育社会学や教育心理学，教育方法学，比較教育学，教育行政学，社会教育学，体育学等々をも加えた独立の教育学部に改組・拡充されたことがあげられる。さらに，乳幼児教育や障害者教育，大学教育等，これまで教育学の研究対象として十分な市民権をもっていなかった領域が開拓され，研究の点でも固有な深化と進展のみられることが注目される。以上のような発展状況に対応して，学会組織も，日本教育学会 (1941 年創立) のほか，数多くの個別専門学会が結成され，専門分化の道を辿っている。また，研究機関の面でいえば，戦前は教育学研究を独占する観があった旧帝大，文理

大，高等師範のほか，師範学校が前身の新制大学の学芸学部や教育学部，私立大学が加わり，さらに，諸種の教育研究所が重要な役割を果たすようになってきている。研究者養成機関として，新制の大学院制度が発展・定着してきている点も特徴のひとつであろう。

第2に，民間の教育研究運動が発展し，日本の教育学に対するその理論的寄与が次第に大きくなってきた点があげられる。このような事態がみられることは，わが国の教育学研究の特質である。

ここにいう民間教育運動とは，地域民衆運動の文化的側面をかたちづくる運動ぐらいの意味である。戦後再建された前記の教育科学研究会や，綴方教師の集まりである日本作文の会，数学研究者や教師たちによる数学教育協議会など，現場教師と教育学者と専門科学者，芸術家の交流する自主的研究団体が数多くつくられ，活動してきた。政府や公共団体からの財政の援助を受けず，いわば手弁当で運営されるこのような研究団体は，全国的規模のものだけでも数十を数えている。これら研究団体は，夏期休暇中に，それぞれ研究集会をもち，1年間の活動を集約しているのが普通である。また1951年以来の歴史をもつ日本教職員組合主催の教育研究全国集会も，日本独特の教育研究運動として特筆すべきものである。以上のような教育研究運動を特徴づけるのは，教育実践者としての教師の，教育研究への主体的参加と貢献であり，それは教師の教育と研究の自由という思想に支えられたものである。ここには，実践者であると同時に研究者であるという，ひとつの教師像が示されており，教育学研究における理論と実践の問題も内包されているといえよう。このような研究運動を通して，教育研究者の層が大幅に拡大し，その数も飛躍的に増大してきたといえよう。

第3に，学際的研究の発展とそれにともなう研究次元の拡大，研究方法論の多様化という点があげられよう。

日本の教育現実が要請する研究課題の複雑化に対応して，他の専門諸

科学との学際的研究が多様に進展してきていることも，近年の教育学研究発展の注目すべき特徴である。発達研究や障害者教育，教授学研究等等の研究領域にその成果がみられるが，特筆すべき典型的な例としては，新しい境界領域としての教育法学の成立があげられよう。その研究を支える組織として，教育学者と法学者とによる日本教育法学会も結成され，すぐれた研究活動を展開している。ところで，従来の教育学研究は，いわば制度化された教育の次元のものに限定されていたが，ここ数年来，民俗学の研究成果とも結びついて，子育ての慣行等を対象にした習俗レベルの研究も行なわれるようになってきた。この動向ともつらなるものとして，これまではあまり目を向けられていなかった第三世界の教育に対する関心が高まり，研究も盛んになってきた。このような研究次元の拡大を通して，教育の概念そのものの捉え直しが試みられている点も重要である。以上に述べたようなさまざまな研究状況に対応して，研究方法論が多様化していることも見落すことのできない重要な特徴である。経験科学的な教育諸科学の発展にともない，実証的方法が研究方法の主流を占めつつある点や，マルクス主義の立場に立つ方法論が力をもつようになってきた点などが，とりわけ顕著な点であろう。

現代教育学の課題と方法　ところで以上のような現状を，教育学研究の盛行と手ばなしで喜んでいてよいのだろうか。確かに，教育の実践的課題ともかかわり，この数年来，あらゆる領域や次元で，研究が量質共に発展してきているのは事実であり，それは教育学研究の大きな前進である。しかし，そこにみられるのは，まさに複数の教育諸科学の細分化した併存状態であり，それぞれバラバラの発展であるといわざるを得ない。現代教育学は，専門分化した諸研究の成果を統合し，固有な研究対象と方法論的基礎をもった自立的科学として再構築されなければならない。その際に重要なのは，現代教育学が人間の発達と教育に関する総合科学として自己を確立していくことである。そ

のための前提としては，教育学全体を支える礎となるべき，すぐれて教育学的な発達理論がつくりあげられなければならない。発達研究は，これまで長いあいだ，心理学の独占事業の観があった。事実，個別の学問領域としても，発達という言葉を冠したものとして学問の世界で定着していたのは，発達心理学だけであった。確かに発達研究における発達心理学の大きな貢献は認めなければならない。しかしこれに対して，人間の発達過程が歴史的・社会的条件に規定されているという認識に促されて，発達社会学の可能性ということが最近言われ出してきている。このような発達心理学や発達社会学を主要な手がかりにし，発達研究にかかわる医学や生理学，人間生物学や比較行動学，文化人類学や民俗学等々の知見をも取り込みつつ，教育学的発達理論としての発達教育学ともいうべきものをつくりあげる必要があろう。

　テオリアの学としての心理学や社会学においては，人間の発達を対象にする場合でも，その法則的究明ということで学問的要請は基本的に満たされると考えられている。しかし，ポイエシス（制作）の学としての教育学においては，人間の発達を制御可能な事象と捉える視点から，価値の問題が不可欠なものとして入ってくる。なぜなら，人間の発達にかかわる教育実践は，つねに一定の価値志向性を内包するものだからである。したがって，教育的価値の観点を含んだ発達理論の構築が必要である。このような発達理論を基礎にしてはじめて，現在の教育諸科学の理論的成果をひとつの固有な学問体系へと統合していくことが可能となる。さらに，このような共通の基礎の確定によって，教育学の研究は，それぞれの個別的な専門領域においても，有機的な関連を保ちつつ，よりいっそう発展することが期待される。

　さて，教育学的発達理論を教育的働きかけのもとでの子ども・青年の発達を解明する固有理論として構築していくためには，単に発達研究にかかわる人間諸科学の成果を統合するだけでなく，発達にかかわる狭

義の教育実践を対象とする教授学的な，あるいは訓育論的な研究として，発達研究が深められなければならない。そのような研究によってはじめて，子どもや青年の発達の問題を，発達と教育との動的な過程として，解明することができるからである。このようにして，現代教育学は，発達と教育の相における人間研究という意味での総合的人間科学という性格を強くもつことになる。それと同時に，人間の発達と教育の過程が，すぐれて歴史的・社会的過程であり，歴史的・社会的・文化的条件要因に強く規定されるものであるからして，その法則的究明を課題とする教育学は，批判的な社会科学としての性格を保持する必要があろう。この2つの性格は，単純に同次元のものではないが，科学としての教育学にとって，不可欠の基本的側面である。したがって，われわれの当面する課題を，人間科学＝社会科学としての現代教育学の建設と定式化することもできるだろう。

　つぎに，教育学の研究方法の問題について言及しよう。

　以上のような課題をめざした現代教育学は，事実にもとづく発達と教育の究明という要求から，実証的な経験科学としての性格をもつことがますます強く要請される。その意味では，心理学や社会学等の隣接諸科学においてすでに基本的なものとなっている，実験的研究や調査研究，史料批判の方法などを，具体的な研究課題に即して駆使していかなければならない。しかしその際，教育学研究として警戒すべきなのは，教育事実の客観的法則的記述に研究を限定するというような，没価値的態度に陥ってはならないという点である。教育学は価値実現にかかわる教育実践を対象にして成立する科学である以上，研究において実証性を貫徹しながら，同時に価値の問題を真正面にすえ，歴史の批判に耐えうる教育的価値の創造をつねに志向するものでなければならない。その場合，そのような固有な教育的価値や教育目的は，既存の哲学や倫理学からの演繹としてではなく，人間発達の制作学としての教育学自身の課題とし

て探求されなければならず，現在の歴史的社会における子どもや青年の人間的発達を十全に保障し実現させる方向で追求されなければならない。このような基本姿勢においてのみ，現代教育学は，学問としての自立性をゆるぎなく自己のうちに確立していくことができるだろう。

◈参考文献◈

◇勝田守一『人間の科学としての教育学』(同著作集第 6 集) 国土社，1973 年

◇宗像誠也『教育研究法』(同著作集第 1 巻) 青木書店，1974 年

◇矢川徳光『マルクス主義教育学の探求』(同著作集第 6 巻) 青木書店，1974 年

◇我妻洋・原ひろ子『しつけ』弘文堂，1974 年

◇小沢有作編『民族解放の教育学』亜紀書房，1975 年

◇山住正己・中江和恵編注『子育ての書』平凡社，1976 年

◇大田堯・中内敏夫編『民間教育史研究事典』評論社，1975 年

◇永井憲一・堀尾輝久編『教育法を学ぶ』有斐閣，1976 年

◇中内敏夫・堀尾輝久・吉田章宏編『現代教育学の基礎知識 (1)(2)』有斐閣，1976 年

◇村井実『教育学入門』講談社，1976 年

◇ボサード，J.，ボル，E.『発達社会学』(末吉悌次監訳) 黎明書房，1971 年

◇ロート，H.『発達教育学』(平野正久訳) 明治図書，1976 年

◇ピアジェ，J.『人間科学序説』(波多野完治訳) 岩波書店，1976 年

索　引

あ と が き

　よい教育をうけることは，国民の多くのものの要求であり，関心事で
ある。

　広い意味での教育の歴史は人類の歴史とともに古いのだから，このこ
とは，現代についてだけいえることではないだろう。しかし，現代のよ
い教育によせる国民の関心は，古い時代のそれにはみられぬ要因をはら
み，一層つよいものになっている。現代においては，教育への要求や関
心の組織のされ方が，社会生活の維持と発展に占める人格と能力の比重
の増大やこの領域への公権力の介入によって個人の思いのままにならぬ
ものになり，そのうえ，この組織に参加してくる人びとの数が飛躍的に
増大してきているからだ。このことについては，この書物の最初にのべ
た。

　一例として，現代教育を代表する公教育制度下の学校教育のことを考
えてみよう。学校のあり方をめぐって，毎日，どれほど多くの議論と工
夫がなされていることだろう。そして，現にこの学校に通学している教
育人口は，2500万人近くで，国民総人口の5分の1以上におよんでい
る。これら250万人の子ども・青年のうしろには，これに倍する父母関
係者がひかえているのである。

　教育によせる多くの人びとの要求にこたえていくためには，いままで
なかった実践の分野や方法があたらしく開拓され，あるいは既成のそれ
がつくりかえられなければならない。このようにして現実の側があたら
しく提起してくる課題につぎつぎにこたえていく役割を，教育学という
学問は負わされている。そして，この役割を十分にはたしうるためには，
教育学はまずなによりも，現実の発展に対応して自分自身をつくりかえ
ていくことが要求されるのである。教育学はなんといっても実践の学問

であって，学問としての形式上の整合性を求めるあまりこの課題を回避するようなことがあってはならない。

　教育学概論の目的は，このような状況のなかで現におこなわれている教育についての諸研究を概観し，今後の研究の課題をあきらかにすることである。

　教育と教育学の入門者のためにこの類の書物をよみやすくまとめることができればと思ってはじめたが，しごとはやはり難航した。たとえば術語が統一されていることなどは入門者にとってのやさしさの条件のひとつであるが，これを自然科学のばあいのようにむりにおこなうと大切なものを失うといった特質をこの学問はもっている。それに，現におこなわれている教育学の研究は，今日では，教育哲学，教育心理学，教育方法学，教育史学，教育行財政学，教育社会学，教育法学といったように多様に分化している。教育学概論は，それらをよせあつめて解説するのではなく，それらすべてのものの基礎となる部分をとりだしほり下げることを要求されている。これは，やさしいことではない。

　そんなわけですっかり手間どってしまった。それでも，各分野の専門の研究者の協力でできるかぎりのことはやりおおせたように思う。利用者の叱責をえて，さらによいものにしあげていきたいと思っている。

　最後に，しんぼうづよくまっていただいた有斐閣編集部の各位に感謝したい。

　　1977 年 3 月

編　　　者

〈編者紹介〉

中内敏夫 （なかうち　としお）
　　　1930年生　京都大学教育学部卒・東京大学大学院
　　　　　　　　（教育学）了
　　　現　在　お茶の水女子大学文教育学部教授

有斐閣双書

教育学概論〔第2版〕

昭和52年 3 月30日　　初 版第 1 刷発行
昭和57年 3 月20日　　第 2 版第 1 刷印刷
昭和57年 3 月30日　　第 2 版第 1 刷発行

編　者　　中　内　敏　夫
　　　　　なか　うち　とし　お

発行者　　江　草　忠　允
　　　　　え　ぐさ　ただ　あつ

東京都千代田区神田神保町 2〜17
発行所　　株式会社　有　斐　閣
電　話　東　京 (264) 1 3 1 1 (大代表)
郵便番号　〔101〕振替口座　東京6-370番
本郷支店　〔113〕文京区東京大学正門前
京都支店　〔606〕左京区田中門前町 44

印刷　秀好堂　製本　稲村製本

教育学概論〔第2版〕（オンデマンド版）

2004年9月10日　発行

編　者　　　中内　敏夫

発行者　　　江草　忠敬

発行所　　　株式会社 有斐閣
　　　　　　〒101-0051　東京都千代田区神田神保町 2-17
　　　　　　TEL 03(3264)1315（編集）　03(3265)6811（営業）
　　　　　　URL http://www.yuhikaku.co.jp/

印刷・製本　　株式会社　デジタルパブリッシングサービス
　　　　　　URL http://www.d-pub.co.jp/